LE CORBUSIER

LE CORBUSIER

MAURICE BESSET

SKIRA
BOOKKing
international

Ce volume est sorti des presses des
IRL Imprimeries Réunies Lausanne s.a.

© 1992, by Editions d'Art Albert Skira S.A., Genève
Première édition: «Qui était Le Corbusier?» 1968
L'œuvre de Le Corbusier est protégée par PROLITTERIS, Zurich
ISBN 2-605-00092-3

Imprimé en Suisse

TABLE DES MATIÈRES

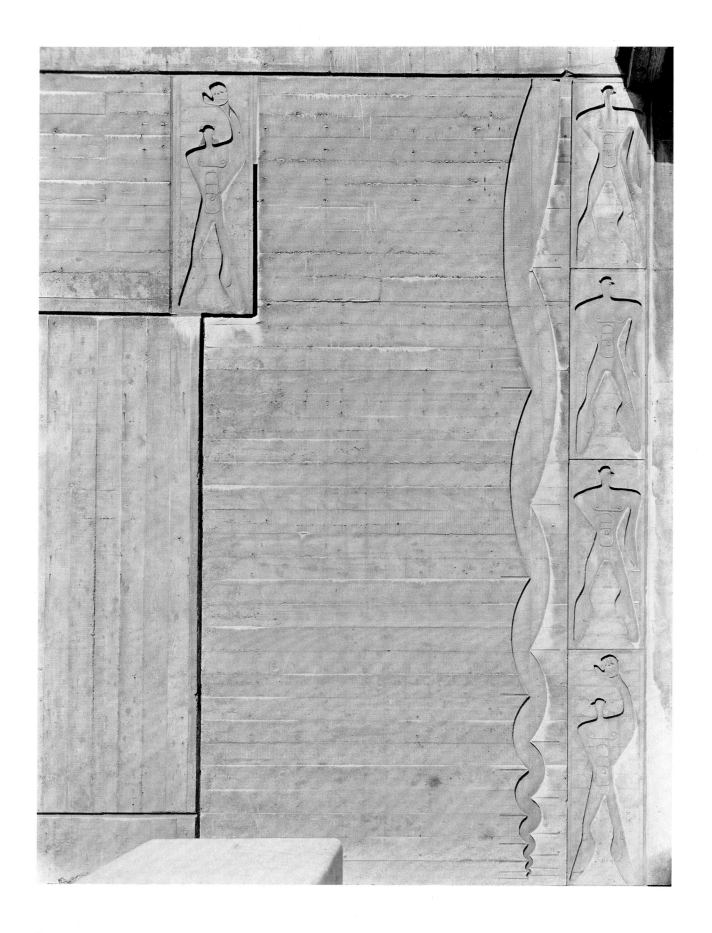

Sı imparfaite que soit notre connaissance de Le Corbusier, nous pressentons qu'un des problèmes majeurs qui se posent à son propos concerne la manière dont une création — dont personne ne songe à nier la violente, la bouleversante nouveauté— s'inscrit à la suite d'une lecture passionnément attentive du monde: réalité contemporaine, héritage de la tradition, lois de la vie naturelle. De la somme considérable de connaissances, de lectures, plus encore d'observations directes, surtout visuelles, qu'il avait accumulées, Le Corbusier s'était formé une culture non seulement beaucoup plus étendue qu'il n'a voulu le laisser entendre, mais qui était surtout constamment mobilisable.

« Regarder » et « voir », disait-il volontiers, en distinguant soigneusement entre « regarder », qui est simplement noter, recueillir, engranger, et « voir » qui est déjà comprendre, dégager des rapports, ou, comme il disait encore, « classer »; ensuite seulement « inventer » et « créer ». En remontant, à partir de chaque forme, de chaque idée qui porte sa marque, l'enchaînement souvent déroutant de ces opérations,

en s'attachant à préciser pour chaque cas le rapport entre observation et vision créatrice, on constaterait qu'il n'est guère, chez Le Corbusier, d'idée ou de forme, si neuve qu'elle soit, si authentiquement qu'elle lui appartienne, qui n'ait son origine première dans une observation concrète, dans un fait enregistré, dans une question posée. De l'homme contemporain il note avec tristesse qu'il est « quelqu'un qui sait des choses, mais des choses qu'il n'a ni inventées, ni même contrôlées, qui a perdu au cours des enseignements reçus cette candide et capitale énergie de l'enfant questionnant inlassablement: Pourquoi? ». Toute biographie intellectuelle de Le Corbusier devra prendre pour point de départ cette curiosité qui n'est pas avoir inerte, passivement reçu, mais appropriation active, constante mise en question du monde, et surtout de soi-même.

Qui était Le Corbusier? Les méthodes classiques de l'analyse historique ne sont guère applicables à un homme qui *est* aujourd'hui au moins autant qu'il n'*a été*. Qui est, comme architecte, de façon éclatante ou diffuse, présent dans presque toute la production d'aujourd'hui, et le sera encore, selon toute vraisemblance, dans celle de demain. Qui est, comme urbaniste, toujours au centre d'une polémique qui porte sur les plus graves problèmes de l'aménagement de notre milieu de vie. L'insertion historique des autres pionniers du XXᵉ siècle, dans les arts plastiques et même en architecture, apparaît aujourd'hui clairement : en peinture par exemple, l'après-cubisme, l'après-surréalisme, voire la post-abstraction, ont créé petit à petit le recul nécessaire à l'évaluation de l'apport, à l'intelligence du sens de la recherche de chacun. Il n'y a pas encore eu en revanche d'après-corbusiérisme : la contestation, si vive soit-elle çà et là, ne s'est pas encore constituée en un mouvement assez cohérent pour marquer nettement l'ouverture d'une nouvelle phase, pour faire entrer définitivement Le Corbusier dans l'histoire.

Le Corbusier, ainsi, est de notre temps. Mais il était aussi — lui-même ne manquait pas de le souligner — un homme d'un autre temps, de la génération de 1900, formé dans le climat idéologique et esthétique d'une Belle Epoque aujourd'hui légendaire. Et c'est au début des années 20, pour la plupart d'entre nous déjà aussi lointaines, que se situe l'aventure pour lui décisive de *L'Esprit Nouveau*. Nous ne pouvons pas ne pas tenir compte de la distance déjà considérable qui nous sépare de ces événements et de leur contexte si nous voulons mettre en perspective sa personnalité et son itinéraire. Comme tel grand créateur du passé, contemporain de plusieurs âges, Le Corbusier nous présente aujourd'hui un double visage, et la superposition de ces deux images, l'une toute proche et fortement colorée par les reflets de la polémique, l'autre lointaine et déjà engagée dans l'histoire, en rend la lecture particulièrement malaisée.

A cela vient s'ajouter l'extrême répugnance que l'homme, si prolixe pour défendre ses idées, éprouvait à parler de lui-même, plus : l'obstination avec laquelle, pour se protéger des curiosités investigatrices, il s'est attaché à brouiller les pistes. Rares sont les documents autobiographiques aujourd'hui accessibles, plus rares encore les témoignages extérieurs véritablement éclairants. Il ne semble donc pas être temps encore, dans l'état actuel de nos connaissances, de tenter une synthèse qui prétende vraiment répondre au titre ambitieux de ce livre. Aussi se bornera-t-on, dans les pages qui suivent, à dégager certains thèmes dont la récurrence, tout au long de l'œuvre, semble autoriser quelques conclusions, ou du moins ouvrir quelques perspectives, sinon sur la personnalité de l'homme, que Le Corbusier lui-même a voulu dérober aux regards, du moins sur la méthode-ou, comme il disait lui-même, sur la manière de penser du « questionneur » passionné et de l'incomparable créateur qu'il a été.

La découverte du monde

CARNET DE ROUTE

RENCONTRES

Je conçus une véritable terreur des enseignements d'écoles,
des recettes, des a priori de droit divin,
et je fus persuadé d'en appeler, en cette période incertaine,
à mon jugement personnel.
Avec mes économies, j'entrepris un voyage à travers plusieurs pays,
loin des écoles, gagnant ma vie dans des travaux pratiques,
je commençais à ouvrir les yeux.

Les années de formation de Charles-Edouard Jeanneret, futur Le Corbusier, sont marquées par deux expériences contradictoires. Celle, d'abord, de l'étroitesse. La Chaux-de-Fonds, alors petite ville, vouée de longue date à une activité unique, de caractère semi-artisanal, l'horlogerie, mais dont les structures économiques et sociales traditionnelles commencent à céder sous la pression des premières concentrations capitalistes ; d'autre part, l'ouverture d'horizons que lui procurent les grands voyages au cours desquels il acquiert une culture visuelle très vaste en même temps qu'il prend conscience de l'impact brutal, sur le monde des formes, de la révolution industrielle en train de s'accomplir.

A La Chaux-de-Fonds, il livre ses premières batailles et connaît ses premières déceptions, liées les unes et les autres au destin de cette « Nouvelle Section » de l'Ecole d'Art, qui s'inspire dans ses méthodes et dans ses buts du grand mouvement de réforme de l'enseignement d'art alors en cours en Allemagne, et dont finira par avoir raison l'hostilité des traditionalistes. Quant à ses voyages, ils le mènent aussi bien aux foyers alors les plus actifs du mouvement moderne (Paris, Munich, Vienne, Berlin) que dans les musées et aux grands sites classiques, de Chartres à Pompéi, de Florence à Athènes, de Constantinople à Rome, ou dans les dernières régions d'Europe où subsistent encore des traces relativement importantes des modes de vie traditionnels. Ils lui ménagent l'occasion de rencontres, tant à Paris qu'à Vienne ou en Allemagne, qui orientent de façon définitive ses réflexions. Surtout, inlassablement, en cours de route, Jeanneret dessine, commençant ainsi cette entreprise de déchiffrement du monde à la pointe du crayon qui devait durer soixante ans.

Au seuil de ce volume, il a paru indispensable d'évoquer en quelques images la formation de cette culture très large, très ouverte, extraordinairement concrète, qui doit autant au monde traditionnel des folklores qu'à celui des métropoles modernes, à la visite attentive des musées qu'au contact avec les pionniers d'un art nouveau et qui, enracinée dans la tradition latine, n'en a pas moins été profondément marquée par le monde germanique. Au terme de ces années d'apprentissage, une double évidence s'impose à Jeanneret : tout le système de valeurs fondé sur la pratique artisanale de l'objet unique est désormais déclassé, un nouveau langage surgit, lié aux conditions inédites créées par la production de série, langage dont les normes restent à définir.

L'entreprise du purisme n'aura d'autre but que d'en définir l'approche.

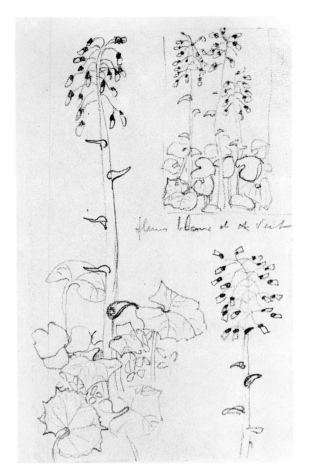

Invoquant l'exemple des maîtres d'œuvre et des sculpteurs gothiques, Viollet-le-Duc avait recommandé à l'architecte et à l'ornemaniste l'étude des formes de la flore indigène. Vers la fin du XIXᵉ siècle, cette étude, élargie de l'observation des microstructures organiques, était devenue un thème classique de la pédagogie rationaliste de la vision : on en trouve l'écho jusque chez F. L. Wright. L'Art Nouveau avait ensuite interprété de façon unilatérale le motif floral dans le sens de l'arabesque décorative. Sur les conseils de L'Eplattenier, lui-même admirateur de Grasset, Charles-Edouard Jeanneret s'applique, en réaction contre les excès du Modern Style, à dégager de la structure géométrique du sapin, voire de la gentiane jaune, éléments typiques de la flore jurassienne, un système décoratif susceptible de développements architecturaux. Il emploiera celui-ci dans certaines constructions de sa période de La Chaux-de-Fonds.

◄ *En haut à gauche : Croquis de fleurs - 1913-1914.*
crayon Conté sur papier bis.

◄ *En haut à droite : Croquis de sapin et branches sous la neige.*
1913-1914 - crayon Conté sur papier Canson.

◄ *En bas : Recherche de décoration plane sur le thème du sapin.*
1913-1914 - encre de Chine sur papier bis.

Recherche de décoration architecturale ►
à partir d'éléments géométriques - 1913-1914.
crayon Conté sur papier gris-brun.

◄ *Page 13 : Santa Croce à Florence,*
croquis de la nef et de la charpente.
crayon Conté sur papier Canson, en partie aquarellé.

10, Gabelsbergerstrasse à Munich, vue d'ensemble et détail de l'attique - 1911 - crayon Conté sur papier avec rehauts de couleurs.

En présence de la réussite grandiose d'un volume intérieur saisissant de simplicité, comme à Santa Croce, ou d'un simple détail heureux : l'inscription sur le ciel d'une attique néo-classique, Jeanneret ne se sert pas du crayon pour simplement capter ce qu'il appellera plus tard les « effluves », mais toujours pour poser la question que, sa vie durant, il adressera à toutes les formes naturelles ou construites rencontrées sur sa route : pourquoi ? Il n'est pas moins attentif aux leçons des architectes populaires : au-delà de tout folklore, leur science de l'économie, leur richesse imaginative le plongent dans le ravissement : l'exemple de « moralité » qu'elles lui ont donné a sans doute compté autant, dans la formation de son langage architectural, que celui de l'austère géométrie cubiste. C'est à l'architecture populaire qu'il doit aussi la « loi du lait de chaux » qu'il opposera impitoyablement à l'« impureté » de l'art

« Solution heureuse de l'angle du mur » - 1911 - crayon Conté sur papier.

décoratif: « *Le lait de chaux est attaché au gîte de l'homme depuis la naissance de l'humanité: on calcine des pierres, on broie, on étend de l'eau, on badigeonne, et les murs deviennent du blanc le plus pur: un blanc extraordinairement beau. Si la maison est toute blanche, le dessin des choses s'y détache sans transgression possible; le volume des choses y apparaît nettement; la couleur des choses y est catégorique. Le blanc de chaux est absolu,* tout s'y détache, s'y écrit absolument, noir sur blanc: c'est franc et loyal. Mettez-y des objets malpropres et de faux goût: tout saute aux yeux. C'est un peu les rayons X de la beauté. C'est une Cour d'Assises qui siège en permanence. C'est l'œil de la Vérité. Le blanc de chaux est extrêmement moral... Le lait de chaux est la richesse du pauvre et du riche, de tout le monde, comme le pain, le lait et l'eau sont la richesse de l'esclave et du roi.* »

Ferme à Muratli, Turquie d'Europe - 1911 - crayon Conté sur papier Canson.

L'art populaire, qu'il s'agisse des produits de l'artisanat ou de l'architecture dite anonyme, a, au cours des siècles, élaboré des « standards » parfaitement adaptés aux besoins et aux mesures de l'homme, et par là même en totale harmonie entre eux et avec le milieu naturel dans lequel ils s'inscrivent. Organisme vivant, né de la vie, et non système rigide, arbitraire, de formes, le « standard » se définit par sa souplesse autant que par son exactitude :

telle « unité architecturale » mise au point par le paysan turc de la région d'Andrinople s'accommode aussi bien d'un site en plaine que du paysage des collines. C'est sur le fond de la maîtrise développée par le maniement séculaire des « standards » que s'enlèvent, pour Jeanneret-Le Corbusier, les grandes œuvres de l'architecture : du Parthénon, il dira par exemple qu'il est « un produit de sélection appliquée à un standard ». Ainsi les grandes mosquées d'Istanboul ou de Brousse transposent encore au niveau de la création pure la science des rapports entre espace extérieur et volumes intérieurs qui caractérise toute la culture architecturale de l'Islam et qui repose, pour l'essentiel, sur un emploi raffiné des ruptures d'échelle. Avant Pompéi, ces mosquées ont d'autre part révélé à Jeanneret les possibilités infinies offertes par la lumière pour la définition des espaces intérieurs, singulièrement par la lumière réfléchie ou réfractée, dont les modulations font vibrer les volumes. Elles le frappèrent enfin par la rigueur des rapports qui lient, dans leur profil extérieur, les demi-sphères des coupoles, gonflées comme des voiles, à la rectitude sans sécheresse des minarets linéaires. Le Corbusier n'oubliera jamais la leçon donnée à Jeanneret par Byzance et l'Islam : c'est de la disposition des fenêtres à la base des coupoles de Sainte-Sophie qu'il se réclamera encore pour justifier le mode d'éclairage prévu pour un de ses tout derniers et plus beaux projets, l'église paroissiale de Firminy.

Mosquée de Soliman à Istanbul - 1911 - crayon Conté sur papier.

Au Campo Santo de Pise, Jeanneret a la révélation de ce qu'est, à l'échelle d'une composition monumentale d'une ampleur insurpassée, le « jeu savant, correct et magnifique des formes sous la lumière », et comment une seule oblique imprévue peut faire naître une tension dramatique intense de l'ordonnance la plus équilibrée. C'est à Pise que Le Corbusier pensera lorsque, vingt-cinq ans plus tard, il organisera son projet de Palais des Soviets sur le rapprochement de volumes fortement contrastés.

Quant au Parthénon, Jeanneret passe en 1911, à le contempler et à le conquérir, trois semaines qui furent, de son propre aveu, tourmentées de difficultés et d'échecs avant qu'il ne parvienne à reconnaître en lui — pour toujours — le chef-d'œuvre absolu de l'architecture « pure création de l'esprit ».

Campo Santo à Pise - 1911 - crayon Conté sur papier Canson.

L'Acropole à Athènes (dessin original perdu).

C'est du Parthénon que Jeanneret apprit comment un édifice peut ordonner tout un paysage, comment les lois d'harmonie et les corrections optiques peuvent jouer pour magnifier la forme, et quelle leçon morale se dégage du fonctionnement implacable de la « machine à émouvoir » de la modénature dorique. Au Parthénon il consacrera le dernier chapitre de son premier livre, Vers une architecture: « *On a dressé sur l'Acropole des temples qui sont d'une seule pensée et qui ont ramassé autour d'eux le paysage désolé et l'ont assujetti à la composition. Alors, de tous les bords de l'horizon, la pensée est unique. C'est pour cela qu'il n'existe pas d'autres œuvres de l'architecture qui aient cette grandeur. On peut parler « dorique » lorsque l'homme, par la hauteur de ses vues et par le sacrifice complet de l'accident, a atteint la région supérieure de l'esprit: l'austérité.* »

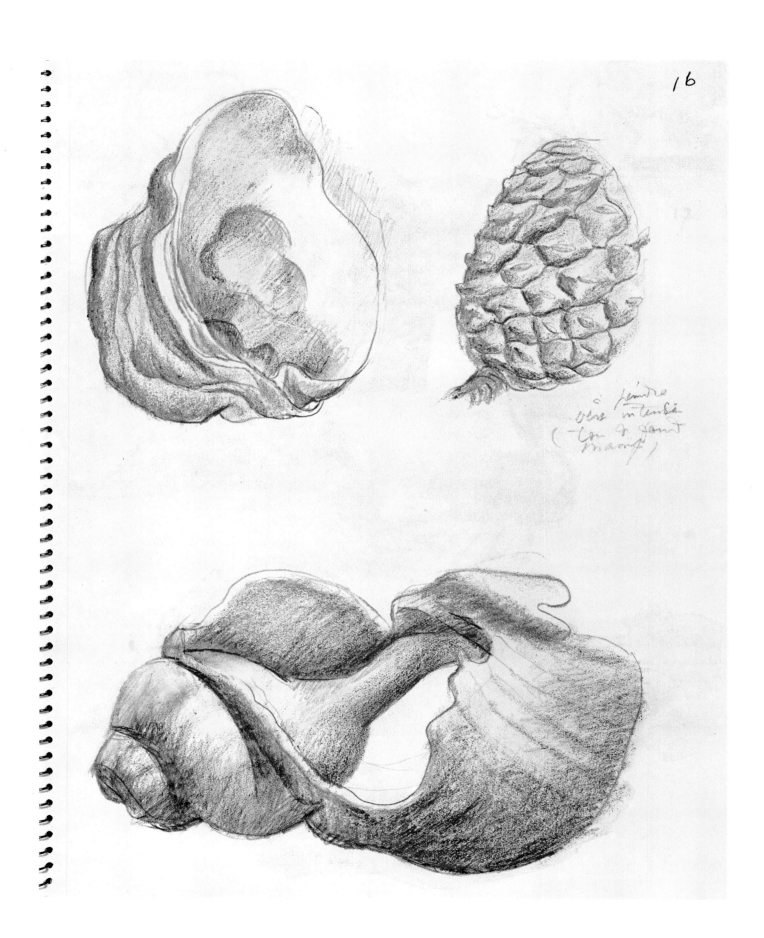

à peindre
vert intense
(ton de Saint
Maur?)

◄ *Coquillages et pomme de pin - 1930.*
crayon Conté et crayons de couleurs sur papier.

Lorsque Jeanneret débarqua à Paris, si lourde que fût alors la mainmise de l'Ecole des Beaux-Arts sur l'orientation générale de l'architecture, les signes avant-coureurs d'un renouveau ne manquaient pas. Aux grandes constructions métalliques de la fin du siècle venaient s'ajouter les premières réalisations en béton armé. Si le Modern Style apparaissait déjà comme démodé, une génération nouvelle s'affirmait, avec Frantz Jourdain, François Le Cœur, Henri Sauvage et surtout Auguste Perret. La Cité Industrielle du Lyonnais Tony Garnier, bien qu'elle ne fût guère diffusée, venait de faire sensation. « Quand j'arrivai à Paris en 1908, avouera plus tard Le Corbusier, la Samaritaine de Frantz Jourdain existait déjà, mais nous trouvions très spirituel à cette époque de rire de ses coupoles de serrurerie décorative, et nous oubliions de considérer que ses façades latérales étaient entièrement en verre (le Centrosoyus de Moscou n'apportera rien d'autre). » En revanche, il racontait volontiers qu'il allait souvent contempler les deux maisons que Le Cœur venait de construire rue Cassini : « Je ne connaissais alors rien de plus moderne », disait-il.

Auprès de Perret, Le Corbusier devait rester quinze mois : « En ces années 1908-1909, écrira-t-il, Perret jouait un rôle héroïque en prétendant construire en ciment armé et en affirmant, après de Baudot, que ce procédé de construction allait apporter une nouvelle attitude architecturale. Auguste Perret occupe dans l'histoire de l'architecture moderne une place très précise, de très haut rang. C'est un « constructeur ». Lorsqu'il m'arriva de parler de lui en Allemagne en 1910 et de déclarer qu'à ce moment-là il était le seul sur le chemin d'une nouvelle direction architecturale, on riait, on doutait, on passait outre : on l'ignorait totalement.

Une Villa
DE LE CORBUSIER
1916

Dans ses articles remarquables de l'*Esprit Nouveau*, Le Corbusier-Saugnier, architecte, avec modestie, ne s'est occupé que des rapports de l'ingénieur avec la construction moderne, afin de mettre en évidence les conditions primordiales de l'architecture : le jeu des formes dans l'espace, leur conditionnement par les procédés de construction. Il a montré que le calcul peut introduire à une grande architecture, que les moyens de construire actuels (financiers et techniques) offrent des ressources plus vastes que ceux des époques passées.

Le Corbusier sut, dans ses articles, lui artiste, faire momentanément abstraction des qualités de sensibilité qui font l'artiste, pour dégager, avant tout, les moyens de l'ingénieur,

On taxait sa maison de la rue Franklin de « Jugendstil » parce qu'il l'avait revêtue de céramique. Pourtant cette maison était un manifeste... »
L'impression que lui fit la Cité Industrielle ne fut pas moins forte : « Tony Garnier sentait proche la naissance d'une nouvelle architecture, appuyée sur le phénomène social. Ses plans dénotent une grande habileté... il y règne la science française du plan. » *Mais la « science du plan » ne fut pas seule à le séduire : comme tant d'autres en même temps que lui, et après lui, il s'émerveilla et fit son profit de la prodigieuse masse d'idées nouvelles, d'inventions de détail qu'apportait cette anticipation, unique dans l'histoire de l'architecture. L'étape berlinoise, qui suivit, ne fut pas moins féconde. Certes, Jeanneret ne sympathisa guère avec son patron Behrens, ni avec l'architecture de celui-ci : il lui reprochait de chercher plus à paraître qu'à être. Mais Behrens lui en imposa par l'autorité avec laquelle il représentait un type nouveau de créateur de formes, symétrique et complémentaire de celui du «constructeur» qu'incarnait Perret :* le designer.

« L'Esprit Nouveau », N° 6, page 679 :
Villa Schwob à La Chaux-de-Fonds construite en 1916.

Frantz Jourdain (1847-1935).
Grands Magasins de la Samaritaine à Paris - 1905.

François Le Cœur (1872-1934).
Ateliers d'artistes, rue Cassini, Paris - 1906.

Tony Garnier (1869-1948).
Projet pour une Cité Industrielle.
Immeubles collectifs
d'un quartier d'habitation - 1901-1904.

Behrens était capable de concevoir une mise en page, un sigle publicitaire, un appareil d'éclairage ou le plan d'un complexe industriel. C'est à Berlin également que Jeanneret eut pour la première fois connaissance, par des publications, de l'architecture rationaliste du Hollandais Berlage, en particulier de sa méthode de composition modulaire. Il y découvrit enfin l'œuvre de F. L. Wright, qu'une exposition et un album révélèrent en 1910 à la jeune génération européenne. De Wright, Jeanneret retint surtout une conception de la liberté du plan toute différente de celle à laquelle Perret était parvenu par l'emploi de l'ossature de béton armé.
Si Berlin et Paris marquent les étapes décisives de ces années d'apprentissage, on ne doit pas pour autant sous-estimer l'importance des contacts pris antérieurement au cours d'un bref séjour de Jeanneret à Vienne.

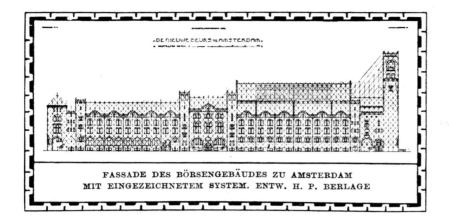

FASSADE DES BÖRSENGEBÄUDES ZU AMSTERDAM
MIT EINGEZEICHNETEM SYSTEM. ENTW. H. P. BERLAGE

Hendrik Petrus Berlage (1856-1934).
Elévation et plan de la Bourse
d'Amsterdam - 1897-1903.

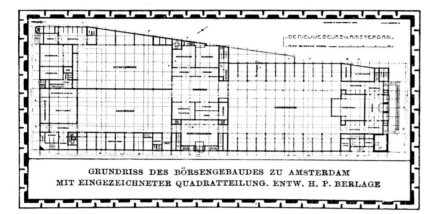

GRUNDRISS DES BÖRSENGEBAUDES ZU AMSTERDAM
MIT EINGEZEICHNETER QUADRATTEILUNG. ENTW. H. P. BERLAGE

Frank Lloyd Wright (1869-1959) - Perspective
de la Maison Ward W. Willits
à Highland Park (Illinois) - 1902 - encre, aquarelle
et gouache sur papier.

Peter Behrens (1868-1940) - Fabrique de micromoteurs A.E.G., Brunnenstrasse, Berlin - 1910-1911.

Josef Hoffmann
(1870-1956).
Palais Stoclet à Bruxelles.
1906-1911.

Adolf Loos (1870-1933).
Maison Steiner à Vienne.
1910.

L'élégance dépouillée de Hoffmann, en réaction contre les outrances Jugendstil d'un Olbrich, la rigueur morale avec laquelle Adolf Loos formulait les exigences de la vie moderne et de la production industrielle, provoquèrent l'enthousiasme de Le Corbusier. En 1921, reproduisant dans L'Esprit Nouveau la traduction du fameux article de Loos: Ornement et Crime, il présentait l'auteur en termes chaleureux: « M. Loos est l'un des précurseurs de l'esprit nouveau. En 1900 déjà, au moment où l'enthousiasme pour le Modern Style battait son plein, en cette période de décor à outrance, d'intrusion intempestive de l'Art dans tout, M. Loos, esprit clair et original, commençait sa protestation contre la futilité de telles tendances. L'un des premiers à avoir pressenti la grandeur de l'industrie et ses apports dans l'esthétique, il avait commencé à proclamer certaines vérités qui paraissent aujourd'hui encore révolutionnaires ou paradoxales. Dans ses œuvres, malheureusement trop peu connues, il était l'annonciateur d'un style qui s'élabore seulement aujourd'hui. »

Un esprit nouveau

DE NOUVELLES EXPRESSIONS DE L'ESPACE:
LA TRANSPARENCE, LA GRILLE, LES CHAMPS DE FORCE

LES ÉLÉMENTS PLASTIQUES

MACHINE ET CONSTRUCTION

PURISME

32

Une grande époque vient de commencer.
Il existe un esprit nouveau.

Nature morte à la pile d'assiettes - 1920 - huile sur toile. Signé « Jeanneret ».

34

UN ESPRIT NOUVEAU

Lorsqu'en 1917, Charles-Edouard Jeanneret s'installe définitivement à Paris, il a trente ans. Au cubisme, qui en a sept alors, il ne semble pas qu'il ait jusque-là prêté la moindre attention. C'est néanmoins par rapport à lui qu'il marque sa volonté de se situer, en intitulant *Après le Cubisme* le manifeste qu'il publie avec Amédée Ozenfant pour annoncer leur première exposition commune, qui eut lieu de décembre 1918 à janvier 1919 à la Galerie Thomas. En 1918, ce n'est certes plus un secret pour personne que le cubisme a achevé la dislocation, amorcée par Manet et sans cesse aggravée depuis, de la conception traditionnelle de l'espace plastique. Et il est aussi devenu évident à beaucoup que sa succession est déjà ouverte. Nombre des solutions auxquelles se sont arrêtés ses pionniers et qu'ont hâtivement canonisées ses suiveurs, apparaissent désormais comme des compromis difficilement tenables. Mais la guerre a dispersé ceux qui, dès 1913-1914, ont pris la véritable mesure de l'événement et en ont tiré les conséquences. La bruyante manifestation futuriste, qui a ébranlé les esprits à la veille du conflit, a fait long feu, la Section d'Or et le Cavalier Bleu ont été dispersés, les Delaunay sont isolés en Espagne, les Hollandais et les Russes se sont trouvés coupés du monde. Aussi, le bilan dressé dans leur manifeste par deux débutants trouve-t-il, dans l'incertitude de l'immédiat après-guerre, une résonance inattendue. Jeanneret et Ozenfant y soulignent la valeur éthique des principes posés par les initiateurs du cubisme. En réduisant la forme à ses éléments géométriques, donc intelligibles, en revalorisant la notion de composition, c'est-à-dire de construction, le cubisme a remis la peinture sur la voie de sa véritable vocation. Mais la méthode d'analyse qu'il a adoptée aboutit à un émiettement de la forme auquel, malgré ses efforts, il n'a pu remédier. Chose plus grave encore à leurs yeux, le cubisme a manqué de rigueur dans l'application du principe constructif. Sous l'apparence de l'austérité, il permet toutes les facilités décoratives. Les temps nouveaux exigent un esprit d'exactitude dont le cubisme s'est révélé incapable.

◄ *Georges Braque (1882-1963) - L'homme à la pipe - papier collé et fusain sur papier Ingres.*

Page 36 : Pablo Picasso (1881-1973) - Femme à la guitare - 1914 - huile. ►

Page 37 : Bouteilles et verres - 1922 - dessin, crayon Conté et crayons de couleurs - signé « Jeanneret ». ►

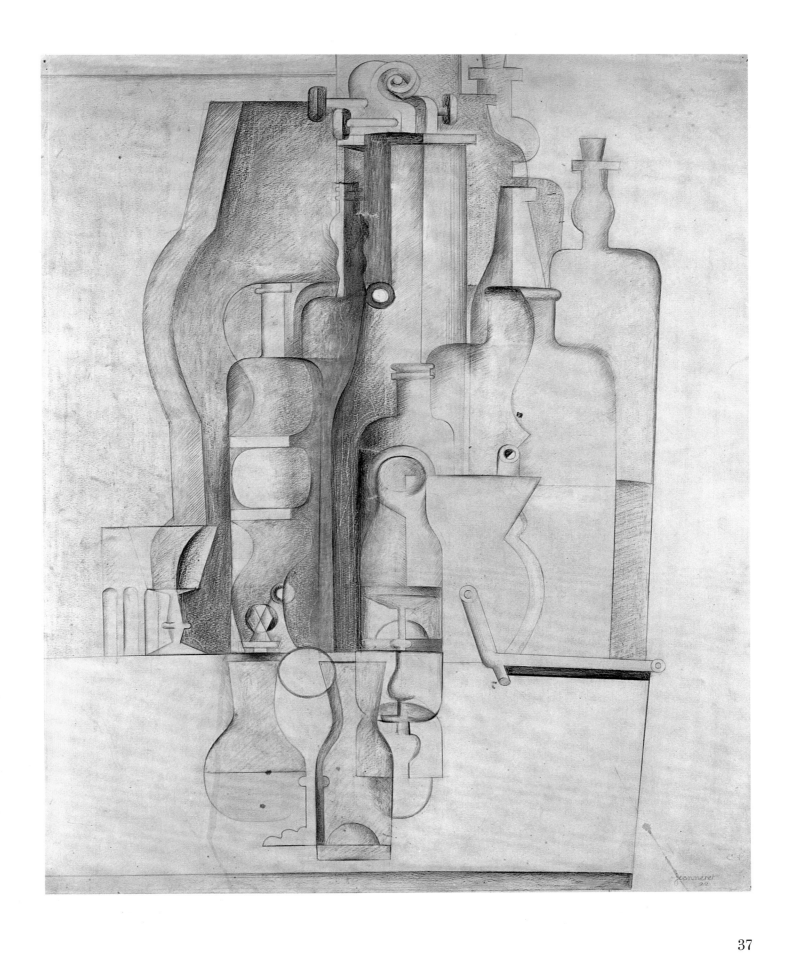

Mais, si importante que soit, par la netteté des positions polémiques que prennent les deux auteurs, la publication d'*Après le Cubisme*, ce n'est que trois ans plus tard qu'intervient l'événement décisif. Dans une série d'articles parus dans la revue qu'il vient de fonder avec Ozenfant et Paul Dermée: *L'Esprit Nouveau*, Jeanneret-Le Corbusier élargit en effet l'analyse des problèmes de la peinture à un examen tout aussi polémique de l'état contemporain du monde des formes. Le retentissement en est considérable et fait d'emblée de la nouvelle revue, à côté de *De Stijl*, l'organe le plus en vue de la nouvelle avant-garde postcubiste. Les articles sont repris en volume en 1923 dans *Vers une Architecture*, dont l'introduction est intitulée *Esthétique de l'ingénieur*,

Architecture. Or, cette même année 1923, Gropius publie, avec *Idée et Structure du Bauhaus*, le manifeste dans lequel sont mises définitivement au net ses positions, jusqu'alors d'un romantisme assez confus, sur les rapports entre activité artistique et production industrielle. Dès lors, sont formulés les thèmes essentiels de cet « esprit nouveau » qui ne va plus tarder à se manifester en architecture dans ce qu'il est convenu d'appeler le « style international ».

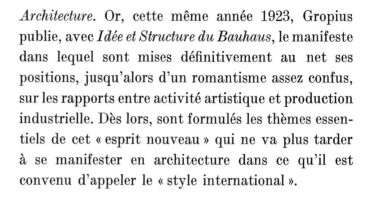

A gauche: ►
Archipenko (1887-1964) - Homme debout - 1920 - pierre.

A droite: Jacques Lipchitz (1891-1973). ►
Marin à la guitare - 1917 - pierre.

Ozenfant et Jeanneret furent parmi les premiers à souligner, dans L'Esprit Nouveau, *l'immense intérêt de la nouvelle sculpture de Lipchitz, Laurens, Archipenko, qui, au lieu de procéder par combinaison de masses, multipliaient les volumes négatifs, en creux, et pratiquaient même des ajours. Jeanneret en particulier en saisit d'emblée l'importance du point de vue du nouvel espace architectural. En 1936 encore, Le Corbusier relève qu'on n'a pas tiré de cette tentative toutes les conséquences qu'elle comportait (et qui ne devaient en effet être pleinement développées qu'après la deuxième guerre mondiale): « ... on a vu, à la suite de la révolte et révolution cubiste, des statuaires créer la « sculpture à ajours », parce qu'ils discernaient que celle-ci s'incorporerait plus multiplement encore au site, à tout le paysage, à toute la chambre. Ces lieux mathématiques sont l'intégrale même de l'architecture des temps nouveaux, dont la loi essentielle est d'être des organismes palpitants, exacts, efficaces, simples, harmonieux, à effluves lointains, à ondes irradiantes. On devine bien que l'aventure de cette statuaire est inédite encore et que du neuf en surgira. »*

Henri Laurens (1885-1954).
Bouteille de rhum - 1918 - bois.

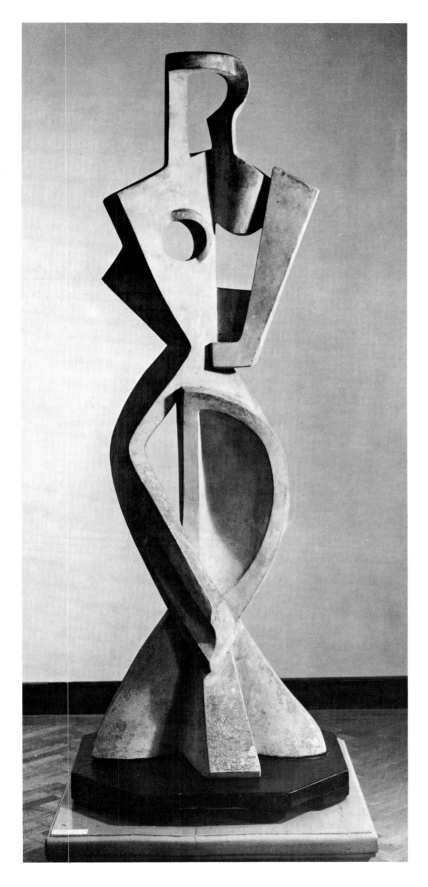

Il ne semblait pas, a priori, que le système cubiste de construction de l'espace pût être appliqué à d'autres domaines que celui de la peinture. Le problème que s'étaient posé les cubistes n'est-il pas précisément celui de l'intégration totale des formes à trois dimensions dé l'expérience sensible, à l'univers à deux dimensions de la toile? Leur système de figuration de l'objet par projections partielles sur un jeu de plans superposés ne marque-t-il pas la tentative la plus radicale qu'ait entreprise la peinture occidentale dans son effort pour réduire le volume à la surface? Et pourtant, malgré l'orientation purement picturale de ses préoccupations, le cubisme apportait d'importantes suggestions pour l'organisation de l'espace architectural. En premier lieu, la représentation simultanée de l'objet sous plusieurs angles impliquait une mobilité, tout au moins virtuelle, du spectateur invité désormais à abandonner le point de vue unique auquel le liait une tradition séculaire, et à se déplacer librement, ne fût-ce qu'en pensée autour de l'objet. Transposée au plan de l'espace praticable de l'architecture, cette mobilité permettait de rompre avec le système classique des ordonnances statiques, purement visuelles, composées en fonction des axes et des symétries, et de tenter de réintégrer dans l'architecture la totalité de l'expérience complexe du mouvement. Seul Frank Lloyd Wright avait, jusqu'alors, mais en partant de prémisses toutes différentes, conçu ainsi l'architecture en fonction des déplacements de l'occupant.

En multipliant, pour acquérir de l'objet une connaissance plus complète, les vues qu'il en prend,

Walter Gropius (1883-1969).
Exposition du Werkbund à Cologne,
escaliers des bureaux de l'usine-modèle - 1914.

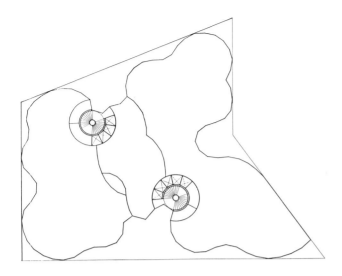

Autour d'une ossature métallique qui reste visible de l'extérieur, une enveloppe de verre, dressée sur un plan très souple, multiplie les reflets.

le cubisme en relativise d'autre part l'apparence. La superposition d'images non concordantes, discontinues, fait perdre à l'objet son opacité, sa densité, le rend à la fois transparent et perméable au milieu qui l'entoure et avec lequel il entretient désormais un jeu de relations instables et mouvantes. On a depuis longtemps relevé que cet éclatement de l'enveloppe jusqu'alors impénétrable des choses, cette réduction de l'objet à un schème transparent, cette compénétration du dedans et du dehors correspondent très exactement à l'expérience de l'espace que la construction moderne proposait alors depuis plusieurs dizaines d'années déjà. Aux masses compactes, aux volumes stables de la maçonnerie traditionnelle, elle avait en effet substitué des structures linéaires dans lesquelles est pratiquement réalisée la compénétration de l'intérieur et de l'extérieur. Enfin, en réduisant la complexité des formes de l'expérience sensible à un nombre restreint d'éléments géométriques, le cubisme avait facilité l'assimilation du langage formel, dépouillé de tout détail accidentel, spécifique de cette construction.

Mies van der Rohe (1886-1969) - Projet de gratte-ciel de verre: vue de la maquette et plan d'un étage - 1921.

Richard Neutra (1892-1970) - Lovell House à Griffith Park, Los Angeles - 1927-1929.

Le développement de l'architecture de verre va de pair, dans les années 1910-1930, avec l'essor des systèmes de construction par ossature linéaire, de métal ou de béton armé. Le thème reçoit, suivant les moments et les pays, des interprétations très diverses. C'est ainsi qu'en Allemagne l'expressionnisme met l'accent sur la qualification de la lumière à l'intérieur de l'édifice par des verres colorés, et sur sa réflexion vers l'extérieur par des structures prismatiques, à facettes multiples : motif qui n'a pas été sans influencer Mies van der Rohe lui-même, dans ses premiers projets de gratte-ciel. Gropius en revanche, depuis sa fabrique d'Alfeld jusqu'au Bauhaus de Dessau, recherche avant tout la transparence du pan de verre, dont Perret, qui fut le premier à le réaliser au garage Ponthieu, s'efforce au contraire de rompre l'uniformité en employant, à l'église du Raincy, des claustra décoratives de béton. Aux U.S.A., en Hollande, en France, le pan de verre connaîtra une fortune sans cesse

croissante : les maisons Lovell de Neutra, ou Dalsace de P. Chareau (cette dernière légèrement postérieure à l'Immeuble Clarté de Le Corbusier, dont elle reprend maint détail) fournissent des exemples particulièrement brillants de compositions architecturales dont les volumes stables ont été totalement éliminés au profit de plans transparents ou translucides, jouant avec des éléments porteurs strictement unidimensionnels. Dans ces maisons, l'armature métallique du pan de verre s'organise en trame régulière, virtuellement susceptible de se prolonger à l'infini : au Bauhaus elle enveloppe ainsi sur trois faces, sans interruption aucune, le bâtiment des ateliers collectifs.

L'apparition de ce réseau continu coïncide avec le développement en peinture de l'espace-grille, dont les premières manifestations remontent aux années 1914-1918. C'est alors en effet qu'en réaction contre l'équivoque du système plurifocal de l'espace cubiste, Mondrian commence à organiser le tableau sur un jeu de signes + et — régulièrement répartis et qui se soudent, à partir de 1918, en une grille homogène recouvrant la totalité de la toile. En 1914, dans ses aquarelles de Kairouan, Klee ordonne de même les secteurs colorés suivant un schéma qui, après 1918, prend la forme d'un damier régulier. A Zurich, en 1915, Arp et Sophie Taeuber, partant des recherches de cette dernière sur des motifs de tissage, aboutissent eux aussi à des compositions en damier. Le damier joue également un grand rôle dans les exercices du cours préliminaire de Itten au Bauhaus. Enfin, les trames mécaniques des clichés d'imprimerie sont introduites, vers 1922-1924, par le Polonais Berlewi dans ses mécanofactures, en vue d'obtenir un effet de vibration entretenue de la surface. La trame devait par la suite devenir un motif fondamental aussi bien de la construction industrialisée (murs-rideaux, structures en réseau) que des recherches de l'art optique.

◄ *Pierre Chareau (1883-1950).*
Maison du Docteur Dalsace,
rue Saint-Guillaume, à Paris,
portes pivotantes en glace et métal - 1931

Piet Mondrian (1872-1944). ►
Composition - 1919 - huile sur toile.

Paul Klee (1879-1940).
Gradation statique et dynamique - 1923 - huile.

La libération de l'espace que le cubisme a réalisée dans le domaine des arts plastiques (aux recherches des peintres ont bientôt fait suite celles des sculpteurs: Duchamp-Villon, Lipchitz, Archipenko, Laurens) ouvrait donc à l'architecture de vastes perspectives: mobilisation de l'espace, transparence des structures « ouvertes », géométrisation des éléments formels, autant d'exigences implicites de la nouvelle morale architecturale qui s'était formée depuis le début du siècle, mais que seul l'exemple du cubisme permettait d'assimiler esthétiquement. Il fallait ce choc pour que l'architecture se dégage du statisme d'un mode de pensée stéréométrique, d'une part, et que, d'autre part, elle assimile l'esthétique de la machine, étape nécessaire de sa réintégration à la vie du monde moderne.

Mais en poussant plus loin l'analyse des deux apports essentiels du cubisme: la continuité dynamique de l'espace et la notion d'élément plastique, le mouvement de réflexion qu'avait provoqué le cubisme devait bientôt être amené à le dépasser. Autour de ces deux thèmes se développe en effet, « après le cubisme », le grand débat qui aboutit à la définition de notions plastiques et architecturales entièrement nouvelles, et dans lequel se situe l'intervention retentissante de Le Corbusier.

La critique porte à la fois sur le traitement de l'élément plastique, auquel les cubistes ne se sont pas résolus à ôter toute valeur figurative, et sur la construction de l'espace par fragmentation de la forme, qui contredit la suggestion de mouvement résultant de la multiplication des points de vue. Cette critique est menée, soit au nom de la pureté plastique, par Mondrian et Malevitch par exemple, soit au nom du dynamisme de la civilisation mécanicienne dont, par un curieux paradoxe, le cubisme

se révèle incapable de traduire les rythmes et les couleurs violemment contrastés. Le thème de la simultanéité, développé à la veille de la guerre par l'orphisme et le futurisme, réinterprété dès les premières années de l'après-guerre par Dada dans ses collages, trouve chez les constructivistes d'Europe centrale et orientale un très large écho. Pour affirmer l'omniprésence de la machine, ils vont jusqu'à introduire le mouvement réel dans certaines de leurs constructions plastiques (Rodchenko, Gabo, Moholy-Nagy), voire dans leurs projets d'architecture (Tatlin). Parmi ces recherches, certaines entreprises de pédagogie élémentariste de la forme, éphémère au Vkhoutemas, prolongée pendant quatorze ans au Bauhaus, ont une importance particulière.

Dans ce débat souvent confus, mais d'une extraordinaire fécondité, sont formulées de nouvelles hypothèses sur la nature de l'espace plastique et architectural; espace-grille, afocal, exploré par Mondrian, Arp ou Klee; espace-champ de forces, révélé dès avant la guerre par Kandinsky, Delaunay, Kupka, transposé dans les trois dimensions par Gabo et Pevsner; espace-temps de la lumière mouvante, dont Moholy-Nagy se fait l'annonciateur et que l'on retrouve dans les recherches filmiques d'Eggeling et de Richter. L'approfondissement et le développement de ces hypothèses, freinés par la nouvelle diaspora que provoque l'arrivée au pouvoir du national-socialisme et par la régression générale des années 30, ne se fera guère que trente ans plus tard, lorsque resurgiront, après la vague de l'abstraction lyrique et de l'informel, les thèmes fondamentaux de l'abstraction constructive.

Walter Gropius (1883-1969) - Le Bauhaus à Dessau, ▶
vue générale de l'entrée - 1925-1926.

La série d'expériences qui, des Fenêtres de 1911, mène aux Formes colorées circulaires de 1912 et à l'Hommage à Blériot de 1914, avait permis à Robert Delaunay de jeter les bases d'une peinture dans laquelle l'espace n'est plus traité comme une construction résultant de la combinaison de formes indépendantes ou fondée sur la trame d'un réseau homogène, mais comme pur rayonnement, né de l'interaction des couleurs : « espace, forme, couleur, lumière ne font qu'un » (Georg Schmidt). La surface de la toile se constelle de foyers autour desquels l'espace se constitue en zones concentriques d'inégale densité. D'une conception topologique très voisine relève l'espace des fameuses abstractions que Kandinsky peint dans les mêmes années du premier avant-guerre : espace que l'on retrouve, décanté de tout expressionnisme, dans ses toiles du Bauhaus. En sculpture, certaines recherches d'Archipenko et de Lipchitz semblent également impliquer une structure non homogène de l'espace, alternativement en contraction ou en expansion : les nœuds et les surfaces non développables dans le plan deviendront, après 1925, les éléments fondamentaux du langage plastique de Gabo et de Pevsner. C'est à peu près à la même époque que, dans le domaine de la construction en béton armé, commencent à se développer les recherches sur les surfaces gauches ou à double courbure (Freyssinet). Le Corbusier s'y intéresse dès les années de L'Esprit Nouveau : plus tard, avec l'église de Ronchamp, il en donnera une transposition poétique jusqu'à présent insurpassée.

Robert Delaunay (1885-1941).
Football - 1918 - aquarelle sur papier collé et carton.
Esquisse pour le fond du décor d'un ballet
projeté avec Léonide Massine.

◄ *Wassily Kandinsky (1866-1944).*
Dans le carré noir - 1923 - huile sur toile.

Antoine Pevsner (1884-1962) - Projection dans l'espace - 1927 - bronze oxydé.

Entre néo-plasticisme et suprématisme d'une part, constructivisme de l'autre, la position de Le Corbusier dans le débat est originale et — malgré une diction péremptoire — très nuancée. Avec Mondrian et Malevitch, comme aussi avec Gleizes et Juan Gris, il partage en effet l'exigence de rigueur dans l'organisation de l'espace, le souci de ne retenir, au-delà de l'accidentel, que la mathématique, et affirme la vocation purement spirituelle de l'art: « La peinture moderne a quitté le mur, la tapisserie ou l'urne décorative et elle se renferme dans un cadre. Nourrie, remplie de faits, éloignée de la figuration qui distrait, elle se prête à la méditation. L'art ne raconte plus des histoires, il fait méditer. » Mais, si Le Corbusier a eu apparemment de bons rapports avec Mondrian et surtout van Doesburg, il se sépare nettement du néo-plasticisme et de l'élémentarisme lorsqu'il refuse de rejeter la réalité physique des formes et de ramener la richesse des situations plastiques concrètes à l'uniformité d'un système abstrait de signes. « La géométrie, — dira-t-il quarante ans plus tard, précisant d'un mot la nature de son désaccord avec *De Stijl*, — la géométrie n'est pas dans le poignet, elle est dans les pesées. »

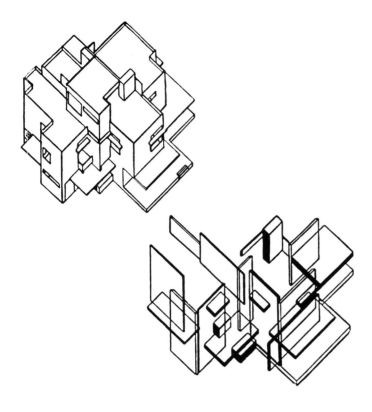

Theo van Doesburg (1883-1931) et C. van Eesteren (1897).
Etudes pour une maison d'habitation: la première
avec des volumes opaques, la seconde, transparents - 1923.

Si, dans la pensée artistique moderne, l'introduction de l'idée d'élément, au sens de forme géométrique simple, remonte à la réinterprétation que Cézanne et Seurat avaient donnée de certains thèmes de tradition classique, le terme lui-même n'apparaît guère, sous la plume des artistes et des théoriciens, avant la fin de la première guerre mondiale. Van Doesburg sera le seul à revendiquer expressément pour sa peinture la qualification d'« élémentariste », mais il n'est pas un tenant du constructivisme ou de l'« art concret » dans la pensée duquel la quête de l'élémentaire, toujours conçu comme géométrique, ne joue un rôle déterminant: quête qui s'inscrit dans un mouvement beaucoup plus vaste, dont l'investigation psychanalytique et surréaliste de l'inconscient représenterait un aspect opposé.

Outre le géométrisme des formes nées de l'industrie et certaines spéculations philosophiques, voire théosophiques, un des principaux motifs du succès de l'idée d'élément fut l'espoir qu'elle faisait naître d'une réintégration de l'unité du langage des arts plastiques et de l'architecture, de l'unité du « style »: la réduction à l'élément facilitait en effet les passages, tels ceux que réalisèrent certains artistes de De Stijl ou encore Malevitch, glissant par transitions insensibles de la figuration plastique à celui de l'espace habitable: « Le constructivisme, disait Lissitzky, est la station-relais en direction de l'architecture. » Aussi l'influence exercée par l'esthétique élémentariste sur l'architecture dite du « style international » fut-elle considérable: on la retrouve chez Mies van der Rohe et Gropius comme chez Le Corbusier.

Dans sa pensée plastique comme dans sa recherche architecturale, Le Corbusier fait une large place à la notion d'élément ainsi qu'aux idées voisines, mais moins abstraites, de « standard » et d'« organe ». Parmi les différents élémentarismes, le purisme est en effet le seul à rejeter l'abstraction pure: « Les formes et les couleurs primaires, écrivent Ozenfant et Jeanneret, ont des propriétés standards (propriétés universelles qui permettent de créer un langage plastique transmissible). Mais l'utilisation des formes primaires ne permet pas de mettre le spectateur dans l'état mathématique recherché. Pour cela, il faut faire appel aux associations de formes naturelles ou artificielles, et le critère de leur choix est le degré de sélection où sont arrivés certains éléments (sélection naturelle et sélection mécanique). L'élément puriste issu de l'épuration des formes standards n'est pas une copie, mais une création dont la fin est de matérialiser l'objet dans toute sa généralité et son invariabilité. Les éléments puristes sont donc comparables à des mots à sens bien fixé: la syntaxe puriste, c'est l'application des moyens constructifs et modulaires; c'est l'application des lois qui gèrent l'espace pictural. Un tableau est un entier (unité): un tableau est une formation artificielle qui, par des moyens appropriés, doit tendre à l'objectivation d'un « monde » entier. On peut faire un art d'allusions, un art de mode, basé sur la surprise et sur des conventions de chapelle. Le purisme tente un art utilisant les constantes plastiques, échappant aux conventions s'adressant avant tout aux propriétés universelles des sens et de l'esprit. »

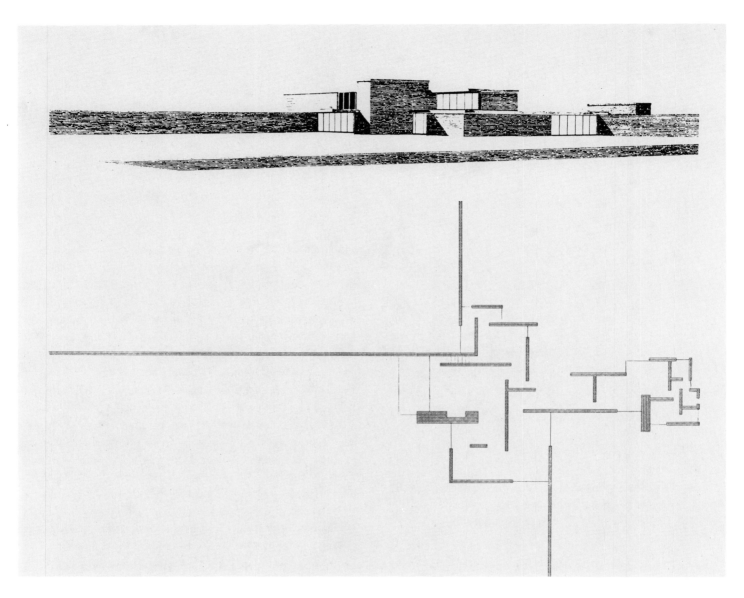

Mies van der Rohe (1886-1969) - Projet et plan d'une maison de campagne en brique - 1923.

Casimir Malevitch (1878-1935) - Maison de l'avenir - 1924 - plume sur carton. ▶

Les projets de Mies van der Rohe dans lesquels l'influence néo-plasticiste est la plus flagrante sont deux maisons de campagne, l'une en brique, l'autre en béton. Il vaut la peine de rapprocher ces études des esquisses suprématistes de Malevitch. Dès 1914, celui-ci intitulait Maisons en construction *une de ses toiles, entendant sans doute indiquer par là que, dans l'art futur, le passage se ferait tout naturellement de la peinture à l'architecture. Par la suite, Malevitch multiplie les projets de* Planits, *ou habitations de l'avenir. Dessins et maquettes ne vont toutefois pas au-delà d'indications volumétriques assez sommaires. La vue à vol d'oiseau met en valeur la surface pure du toit-terrasse, débarrassé de toute cheminée (les* Planits — *note alors futuriste — sont chauffés à l'électricité).*

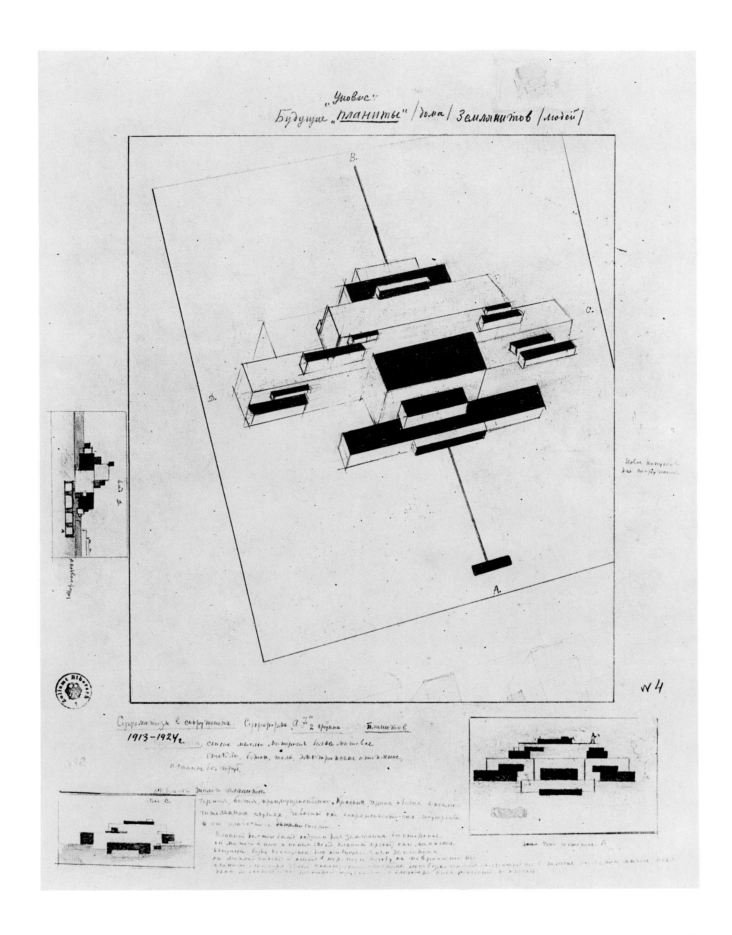

"Уновис"

Будущие *"планиты"* /дома/ землянитов /людей/

№ 4

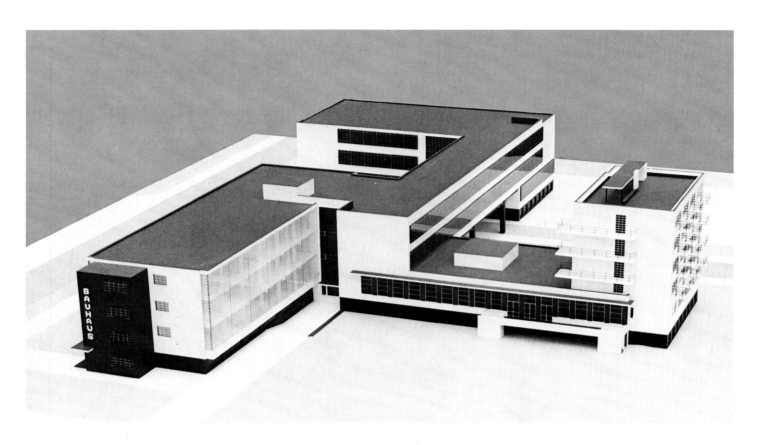

Walter Gropius (1883-1969) - Vue à vol d'oiseau de la maquette du Bauhaus à Dessau - 1926.

Cette volonté de conserver aux choses leur poids, leur densité spécifique, amène Le Corbusier et Ozenfant, dans la première phase de leurs recherches puristes, à opérer ce qui peut paraître tout d'abord comme un recul par rapport au cubisme. Cependant, si, temporairement du moins, ils renoncent à la transparence et accusent un demi-relief, ce n'est évidemment pas pour revenir au réalisme, à la description anecdotique ou décorative du réel, mais pour s'assurer, par l'affirmation du « continu plastique », le contrôle total des rapports qui lient entre eux les éléments de la composition. Il ne s'agit là ni de réalisme, ni d'empirisme, mais tout au contraire d'une volonté d'intellectualisation du processus créateur qui ne le cède en rien, quant à la rigueur, à celle de *De Stijl*. Les points de vue ne sont plus combinés au hasard comme dans les toiles cubistes, mais correspondent exclusivement aux angles de vision les plus artificiels: l'élévation et le plan. Simultanément, l'organisation de la surface est soumise au contrôle objectif de tracés régulateurs établis sur des rapports mathématiques et des constructions géométriques simples. « La géométrie est dans les pesées... »: comme Mondrian ou le Kandinsky des années du Bauhaus, Le Corbusier voit, dans la construction de la toile, un problème d'équilibre et refuse de le résoudre suivant les formules traditionnelles de répartition réaliste des centres de gravité.

Lissitzky (1890-1941) - Proun I D - 1919 - huile sur toile.

Georges Vantongerloo (1886-1965).
Rapports de volumes - 1921 - bois.

L'articulation des différents corps de bâtiment du Bauhaus,
que seule rend perceptible la vue à vol d'oiseau, situe ce chef-
d'œuvre de l'architecture du XXᵉ siècle au point de confluence
des deux principaux courants de l'« élémentarisme » euro-
péen : le néo-plasticisme et le suprématisme (dont les
manifestes furent du reste édités dans les Bauhaus-Bücher).
Quant à ses Prouns, Lissitzky les voyait lui-même dans
l'entre-deux de la figuration plastique et de l'utopie architecturale. Ce qu'ils doivent suggérer, c'est, dit-il lui-même,
« un monde d'organismes cristallins flottant dans un espace
visuellement infini ».

Tatlin (1885-1956).
Projet d'un monument
pour la IIIe Internationale.
1919-1920.

Naum Gabo (1890-1977).
Colonne - 1923.
plastique, métal et bois.

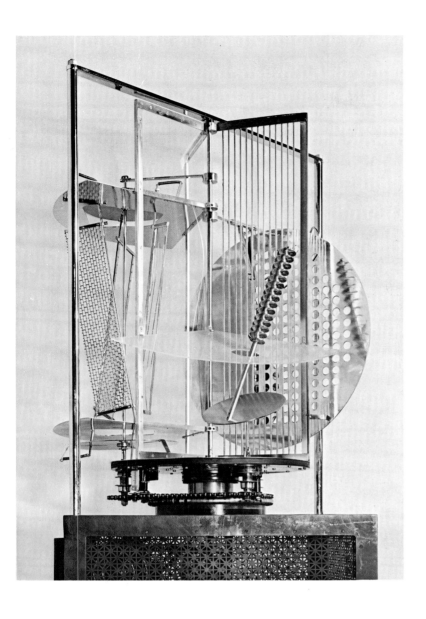

Laszlo Moholy-Nagy (1895-1946).
Modulateur espace-lumière - 1922-1930.
construction actionnée d'un moteur; métal, plastique et bois.

D'Apollinaire à Maïakovski, de Léger à Marcel Duchamp, de Le Corbusier à Moholy-Nagy, de Gropius à Max Ernst, voire à Paul Klee (Die Zwitschermaschine), l'accord se fait de façon quasi unanime, parmi les avant-gardes européennes, sur le fait que l'art ne peut désormais négliger ni exclure la réalité omniprésente de la machine et du mouvement mécanique dans le monde moderne. Les divergences sont grandes en revanche sur la place à lui faire et la signification qui doit lui être reconnue. Toute la partie du mouvement constructiviste qui subit l'influence futuriste en reprend directement les formes, les agencements, les matériaux (le métal poli en particulier), voire lui emprunte ce qui fait son essence même : le travail, et introduit dans certaines œuvres le mouvement réel. En revanche, Dada ne voit en elle qu'un instrument de dérision, non seulement de l'art traditionnel, prémachiniste, mais aussi de la machine elle-même qui, parodiant son propre fonctionnement, dans les dessins mécaniques d'un Picabia par exemple, fait apparaître la vanité de toute activité rationalisée : le Grand Verre *de Duchamp donne ironiquement la réplique à la* Tour de Tatlin. *D'autres, tels Gropius et Le Corbusier, sont surtout sensibles aux exigences de discipline, de renouvellement des modes de pensée, que pose l'apparition de la production de série. Le Nº 21 de* L'Esprit Nouveau *illustre sans doute la « Formation de l'optique moderne » en rapprochant — entre autres — des constructions de Moholy-Nagy et Medunetzky de toiles puristes de Jeanneret et Ozenfant : mais, pour Le Corbusier, la machine reste essentiellement leçon de méthode et productrice de nouveaux « standards » : le « lyrisme des temps nouveaux » n'a rien à voir avec le romantisme mécanicien : « ... on a fait de la machine un dieu nouveau, alors qu'il convient de n'y voir qu'un produit fatal de l'activité humaine réalisant son outillage. Nous l'avons montré : c'est un produit obéissant plus exactement aux lois de la nature que ne le faisaient ceux créés par l'artisan... »*

Fernand Léger (1881-1955) - Le pont du remorqueur - 1920 - huile sur toile.

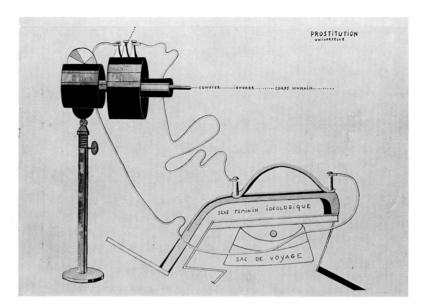

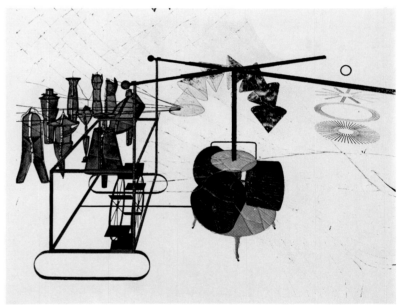

Mais à la différence des pionniers de l'abstraction, Le Corbusier conçoit cet équilibre comme la mise en balance d'objets plastiques conservant leur densité propre, densité telle qu'à propos de ses premières peintures puristes, c'est au sens le plus propre du terme qu'il convient de parler d'architecture.

Ce sont également les exigences d'une pensée fondamentalement architecturale qui déterminent les positions que Le Corbusier prend sur les problèmes de la construction et de la machine. Ces positions sont voisines et pourtant très différentes de celles des nombreux mouvements qu'à la suite du futurisme entraîne l'enthousiasme pour la civilisation mécanicienne. Il collabore à l'occasion à la revue de Lissitzky *L'objet*, mais il affirme aussi, à la même époque: « L'art n'a que faire de ressembler à une machine (erreur du constructivisme). » Dans la même série d'articles de *L'Esprit Nouveau*, dans lesquels il déclare l'architecture « *pure création de l'esprit* », Le Corbusier exalte en termes lyriques la moralité, la santé, la joie des ingénieurs. « Machine à voler », l'avion lui fournit l'exemple d'un « problème bien posé », c'est-à-dire posé en termes radicalement neufs, ainsi qu'il voudrait voir posé le problème de la maison, « machine à habiter ». En des montages parallèles que n'aurait pas désavoués un cinéaste soviétique du temps du muet, il confronte des images des Loges de Bramante et d'usines américaines, du Parthénon et d'automobiles de sport. Mais, si provocants que veuillent être ces rapprochements, il ne s'agit pas pour Le Corbusier, dans l'esprit du futurisme, d'accuser l'opposition des formes (« Ceci tuera cela »), mais d'affirmer la continuité d'un esprit qui a déserté l'architecture et qu'assume aujourd'hui l'art de l'ingénieur. A propos des formes nouvelles créées par la machine (il s'agit en l'occurrence de

En haut: Francis Picabia (1879-1953).
Prostitution universelle - 1916 - plume et encre,
rehaussé de couleurs sur carton.

En bas: Marcel Duchamp (1887-1968).
Le Grand Verre, partie inférieure - 1915-1923.

59

Amédée Ozenfant (1886-1966) - Nature morte au verre de vin rouge - 1921 - huile.

Nature morte aux nombreux objets - huile sur toile - signé : «Jeanneret 1924».

la cabine d'un des premiers avions de transport de passagers), il note que « ceci n'est pas une grammaire de formes, mais simplement, dans un autre domaine que celui de l'architecture, un état de concordance harmonieuse entre la nature et la création humaine ». Remarque qui permet de mieux comprendre la phrase célèbre de *Vers une Architecture :* « L'architecture est dans l'appareil téléphonique et dans le Parthénon, comme elle serait à l'aise dans nos maisons ! » Le Parthénon et l'appareil téléphonique ne sont ni antinomiques, ni interchangeables, ils sont, comme références de la recherche qui doit mener « vers une architecture », complémentaires. Les problèmes spécifiques de l'architecture, que l'exemple du mode de pensée des ingénieurs doit permettre de formuler en termes conformes aux exigences de l'esprit nouveau, se posent au-delà de la construction. Pas plus qu'il ne rejette en bloc, avec les futuristes, l'héritage du passé, Le Corbusier n'assimile, avec un certain rationalisme, l'architecture à la construction. Après avoir donné les ingénieurs en exemple, il prend brutalement ses distances par rapport à eux : « L'art n'a que faire de ressembler à une machine... » S'il retient l'analogie machiniste à laquelle, par le mot et par l'image, il donnera une énorme diffusion — et cette attitude sera toujours la source de malentendus sans nombre — il maintient, face aux exigences de la raison qui gère seule la construction, les droits de la « passion » dont naît l'architecture, « pure création de l'esprit ».

Machines à habiter

Je dis, en raccourci, ceci:
il nous faut un bel espace pour vivre
à la pleine lumière,
pour que notre « animal »
puisse ne pas se sentir en cage,
qu'il puisse remuer, avoir de l'espace
autour de lui, devant lui ...

Maison de la cité du Weissenhof à Stuttgart, façade est - 1927.

Maison Jeanneret à Paris, intérieur - 1923.

MACHINES A HABITER

PLUS encore que l'exemple de l'immeuble 25 bis, rue Franklin, dans lequel l'agence Perret était installée lors du séjour qu'il y fit en 1908, il semble que ce soit celui de constructions purement industrielles qui ait suggéré à Le Corbusier le principe du système « Dom-ino » de 1914, dont il fait symboliquement dater le début de sa recherche architecturale. Dans l'industrie en effet, l'ossature de béton armé avait commencé dès avant la première guerre à concurrencer sérieusement la charpente métallique. Toutefois, étendre l'emploi de ce système à la construction de maisons individuelles (le système « Dom-ino » est conçu en vue d'une reconstruction rapide de la Flandre envahie) ne pouvait se justifier économiquement que dans la perspective d'une production en très grande série, d'une préfabrication vraiment industrielle des éléments. Aussi est-ce bien un système de préfabrication que Le Corbusier propose, tant des éléments d'ossature que des éléments d'équipement. Certes, l'idée de préfabrication était depuis plusieurs années dans l'air, en Allemagne comme en France, où Le Cœur, Sauvage, et surtout Perret avaient poussé très loin l'étude de procédés de construction dits « universels ». Mais on n'avait envisagé jusque-là la préfabrication, et on ne l'envisagera longtemps encore, que comme un procédé permettant d'abaisser le coût de la construction ; Le Corbusier, au contraire, en tire d'emblée des conséquences architecturales et sociales, voire urbanistiques, d'une vaste portée.

La première est paradoxale : pour lui, en effet, l'industrialisation du bâtiment doit permettre de faire participer activement les futurs usagers, non seulement à la conception, mais aussi à la construction de leur maison. Le recours aux méthodes modernes d'organisation de la production n'a en effet rien à voir pour lui avec le perfectionnisme technologique. La technique n'a de valeur que dans la mesure où, loin d'imposer à l'homme de nouvelles servitudes et de le condamner à la passivité, elle favorise ses initiatives et se fait libératrice.

La libération de l'initiative individuelle est, dans le système « Dom-ino », rendue possible par la rupture du lien millénaire existant entre construction et architecture. Le système poteau-dalle assure en effet l'indépendance de l'architecture par rapport à la structure ; les cloisons intérieures, non porteuses, ne doivent plus nécessairement être superposées d'étage à étage, mais peuvent être disposées à volonté. L'éternel conflit du mur et de la fenêtre est lui aussi résolu. Mais autant que sur cette liberté, c'est sur l'unité, sur la « certitude architecturale » créée par le système, qu'insiste Le Corbusier: « Malgré l'individualisme des initiatives, le procédé technique lui-même apportait une unité fondamentale et assurait aux villages ainsi reconstruits une certitude architecturale... » Cette certitude, cette unité, il les envisage sous deux aspects: d'une part, le même procédé de construction est applicable à tous les types de maisons, luxueuses ou non, et leur assure la même liberté fondamentale; d'autre part, il fournit une base solide pour traiter le problème des groupements, des ordonnances urbaines: « L'unité des éléments constructifs est une garantie de beauté, la diversité architecturale est fournie par le lotissement qui conduit aux grandes ordonnances, aux véritables rythmes de l'architecture. » Loin d'éliminer l'architecture, l'industrialisation du bâtiment fournit à celle-ci l'instrument dont elle a besoin pour qu'elle puisse se consacrer entièrement à sa véritable vocation: la satisfaction des besoins de l'usager, l'ordonnance des groupements urbains.

« L'avion nous montre qu'un problème bien posé trouve sa solution; désirer voler comme un oiseau, c'était mal poser le problème, et la chauve-souris d'Ader n'a pas quitté le sol. Inventer une machine à voler, sans souvenirs accordés à quoi que ce soit d'étranger à la pure mécanique, c'est-à-dire rechercher un plan sustentateur et une propulsion, c'était bien poser le problème. En moins de dix ans, tout le monde pouvait voler... Posons le problème de la machine à habiter, fermons les yeux sur tout ce qui existe. »

« Machine à habiter »: lancée en 1921 dans *L'Esprit Nouveau*, la formule prenait brutalement le contre-pied des clichés sentimentaux concernant la « maison, symbole de l'immobilité, maison natale, berceau de famille », et provoqua le scandale que l'on sait.

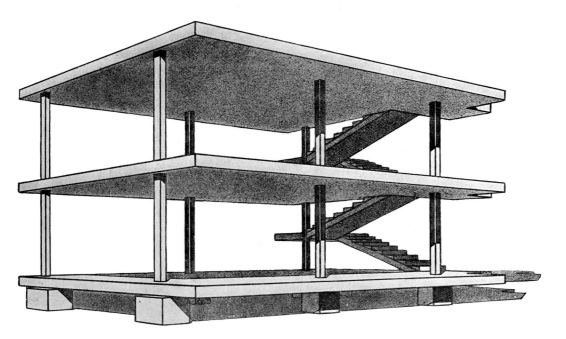

Ossature standard
« Dom-ino »
pour exécution
en grande série - 1914.

Ossature de la « maison A »
au Weissenhof - 1927.
▼

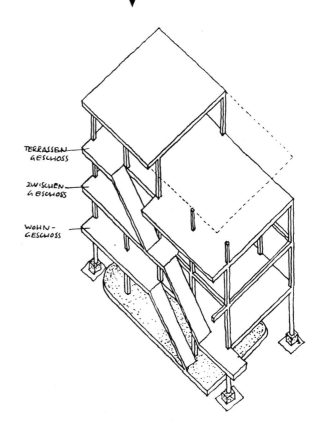

«On a conçu un système de structure — ossature — complètement indé-
pendant des fonctions du plan de la maison : cette ossature porte simplement les planchers et l'escalier. Elle est fabriquée en éléments standards,
combinables les uns avec les autres, ce qui permet une grande diversité
dans le groupement des maisons... Une société technique livre en tous
endroits du pays des ossatures orientées et groupées à la demande de
l'architecte urbaniste, ou du client...

Il restait ensuite à installer l'habitation à l'intérieur de ces ossatures...
On avait conçu l'idée d'une société, sœur de la première, qui vendrait,
elle, tous les éléments de l'équipement de la maison, c'est-à-dire tout ce qui
peut être fabriqué en usine, en grande série, sur des mesures standards,
et répondre aux multiples besoins d'un équipement rationnel : les fenêtres,
les portes, les casiers standards servant de placards et formant une partie
des cloisons...

L'ossature Dom-ino étant portante, les murs et les cloisons pouvaient
être en n'importe quels matériaux. »

Le brevet « Dom-ino » n'est sans doute ni le premier, ni le plus perfectionné
des systèmes de préfabrication imaginés au cours de la période héroïque
de l'histoire du béton armé : il est en tout cas celui qui, d'emblée, a été
pensé dans la plus large perspective d'architecture et d'urbanisme.

Projet de maisons en série sur ossature « Dom-ino » - 1914-1915.

Projet de maisons en série sur ossature « Dom-ino » - 1915.

Le brevet « Dom-ino » a fourni à Le Corbusier un instrument d'« occupation de l'espace », comme il dira plus tard, qui a permis à son imagination — créatrice moins de formes, comme on l'a trop dit, que de situations spatiales — de jouer en toute liberté. Le Corbusier, s'il se montre toujours très attentif aux nouveaux développements techniques de construction, restera jusqu'au bout fidèle au système de l'ossature. Aussi est-ce par un hommage à cette technique pour lui libératrice qu'il convient — comme il l'a fait lui-même dans l'édition de ses « Œuvres complètes » — d'ouvrir la chronique de la « recherche patiente ».

Dans les études qui, entre 1915 et 1920, font suite au brevet « Dom-ino », et dont aucune n'a été réalisée, apparaissent déjà plusieurs des éléments caractéristiques des « machines à habiter » des années 1920 à 1930, en particulier la fenêtre en bandeau et le toit-terrasse, voire le séjour à double hauteur. Mais, plus qu'au traitement de l'enveloppe ou même à la pleine exploitation de la liberté d'organisation intérieure que donne l'ossature linéaire, Le Corbusier semble alors s'intéresser au problème du groupement des cellules, qu'il n'envisage encore que comme rapprochement horizontal d'unités individuelles.

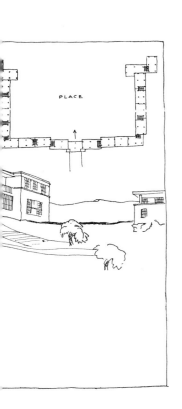

Projet de villa ▶
au bord de la mer
pour Paul Poiret.
1916.

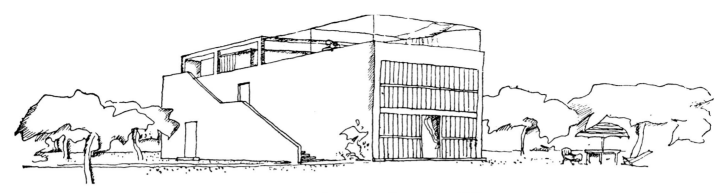

Maison « Citrohan », première étude - 1920.

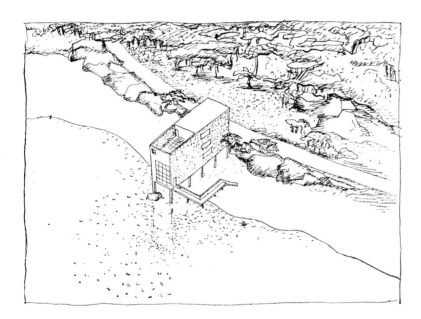

Maison « Citrohan », étude d'implantation au bord de la mer (Côte d'Azur) - 1922-1927.

C'est seulement en 1920-1922, avec les maisons dites « Citrohan », que Le Corbusier aborde de front, et résout de façon révolutionnaire, le problème du plan de la cellule, en opposant systématiquement à un séjour à double hauteur, de vastes dimensions, des locaux annexes et de service disposés sur plusieurs niveaux. La maison Citrohan Nº 2, dont la maquette fut exposée au Salon d'Automne de 1922 en même temps que le diorama d'une « Ville contemporaine de trois millions d'habitants », représente le premier prototype complet de « machine à habiter », indépendante du site et capable de s'accommoder des implantations les plus diverses (elle sera réalisée en 1927 à Stuttgart, cf pp. 87 et ss.).

Le scandale était que, tel l'avion, la maison fût traitée comme un problème entièrement neuf, fût réinventée en fonction des seules données d'une civilisation que la plus grande partie de l'opinion refusait encore de reconnaître: possibilités techniques, d'une part, telles que les offre la construction de béton armé; impératifs économiques, de l'autre, car l'espace est devenu denrée rare et coûteuse. « Il faut agir contre l'ancienne maison qui mésusait de l'espace... le prix du bâtiment ayant quadruplé, il faut réduire de moitié les anciennes prétentions architecturales et de moitié au moins le cube des maisons... Une maison comme une auto, conçue et agencée comme un omnibus ou une cabine de navire... Les wagons, les limousines nous ont prouvé... que l'on peut calculer la place au centimètre cube. » On notera que, systématiquement, les références sont données à des machines mobiles, jamais à des précédents architecturaux. C'est qu'il ne s'agit pas tant de rectifier les dimensions et de revoir les dispositions des locaux en fonction des besoins réels de l'homme d'aujourd'hui, que d'adopter, en face du problème de la maison, un « esprit nouveau ». Des maisons transportables, produites en série par le constructeur d'avions Gabriel Voisin, Le Corbusier écrit, en 1921, que pour habiter de telles maisons, « il faut avoir l'esprit d'un sage et être animé d'un esprit nouveau ». Et en 1929, à propos de ses propres maisons du Weissenhof, il notera encore que: « A cette manifestation s'attache *une attitude morale*, aussi les protestations furent-elles innombrables et violentes. »

Dans l'atelier de Perret, au rez-de-chaussée entièrement vitré de la rue Franklin, Le Corbusier avait pu observer que l'emploi de l'ossature de béton armé permettait de relever au-dessus du niveau du sol le centre de gravité optique d'un bâtiment de plusieurs

◀ *Maison « Citrohan », étude d'implantation à Paris.*
1922-1927.

73

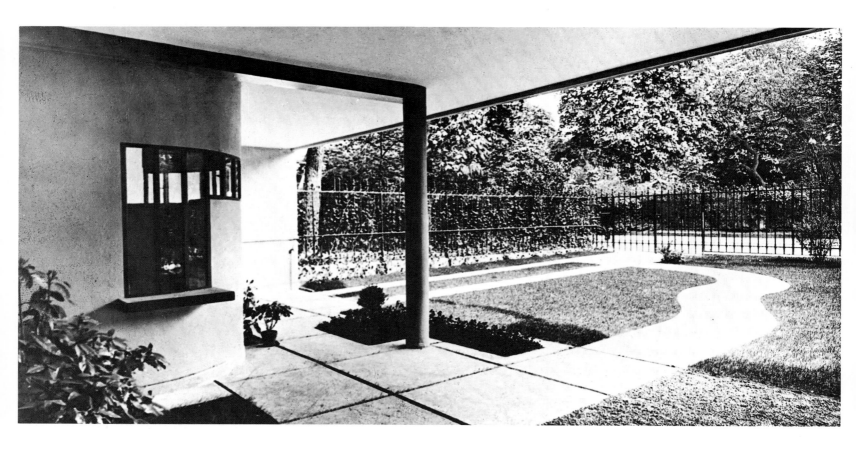

Maison Cook à Boulogne-sur-Seine, pilotis - 1926.

étages. La Cité Industrielle de Tony Garnier, d'autre part, l'avait fait rêver d'une libération totale du sol, permettant aux piétons de circuler à travers toute la ville à l'écart des rues.

On a surtout retenu des pilotis que, en détachant nettement la maison du sol, ils permettent de faire l'économie des fouilles et de disposer de façon plus salubre les locaux d'habitation. En réalité, les pilotis — en créant deux zones superposées, continues: au sol la circulation, qui n'est plus désormais canalisée par l'alignement des maisons, et, dans les niveaux supérieurs, l'habitat — posent le principe d'une redistribution dans les trois dimensions de l'espace architectural et de l'espace urbain. La « machine à habiter » s'affirme ainsi d'emblée comme une machine à faire circuler, voire, pour employer une expression dont Le Corbusier se servira plus tard, comme un « instrument de rénovation urbaine ». A l'opposition traditionnelle du « devant » (façade), battu par la circulation, et du « derrière », resserré dans l'étroitesse d'une cour, elle substituait en effet, avec la division en un « au-dessous » et un « au-dessus », une claire distinction entre les deux fonctions majeures de la cité: l'habitat et les échanges.

« Le plan est retourné, on fuit la rue, on va vers la lumière. » Ce retournement du plan ne serait pas complet si, détachée du sol, la maison n'était pas en même temps libérée de la pesée qu'exerce sur elle

Pavillon Suisse à la Cité Universitaire de Paris, pilotis. 1930-1932.

Parmi les dispositifs architecturaux que Le Corbusier a introduits, il n'en est guère qui ait connu une fortune comparable à celle du pilotis, devenu de longue date standard, voire cliché de la construction moderne ou voulant paraître telle. Dans son principe comme dans sa structure formelle, le pilotis est pourtant, chez Le Corbusier, une réalité complexe, en constante évolution: il fournit un parfait exemple de la façon dont intervient dans son œuvre, de façon continue, le processus d'invention. Il est rare en effet que celle-ci soit chez lui le fruit d'une intuition unique, donnant d'un coup la forme définitive. Même et surtout pour ce qu'il appellera lui-même les standards, l'invention première ne fournit jamais que le point de départ d'une série de ré-élaborations, de ré-inventions successives, qui dégagent de la donnée première des significations différentes, parfois même contradictoires: c'est cette perpétuelle remise en question et en chantier que Le Corbusier appelait sa « recherche patiente », et qu'il opposait à l'illumination passive, gratuite et inféconde. Le pilotis, qui n'est d'abord qu'une partie indifférenciée du squelette, devenu visible par suite de la disparition de la paroi-écran, cesse bientôt d'être traité en simple

Unité d'habitation à Marseille, pilotis - 1945-1952.

élément linéaire, inexpressif, et s'affirme comme une réalité plastique sinon indépendante, du moins fortement individualisée : l'Unité de Marseille marque le point extrême atteint dans cette direction. Dans les Unités suivantes, le pilotis, autrefois linéaire, naguère tridimensionnel, devient élément plan. Des raisons d'ordre économique ont certainement joué un rôle important dans cette réduction du pilier à la dalle, mais elle a aussi des motifs esthétiques : les lames des pilotis prolongent en effet jusqu'au sol les verticales données par les joues des loggias, s'intégrant ainsi à la trame qui enveloppe tout le volume. A Chandigarh — au Palais de Justice et à l'Assemblée — les pilotis connaissent une ultime métamorphose comparable à celle du brise-soleil dans le « mur-lumière » de Ronchamp. Ils n'assument plus la fonction pour laquelle ils avaient été primitivement conçus : détacher du sol la masse de l'édifice (ils supportent seulement le toit-parasol), et ne se justifient que comme pures réalités poétiques.

L'Assemblée à Chandigarh, pilotis - 1950-1957.

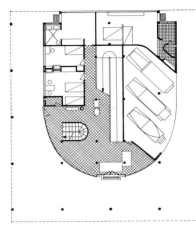

Villa Savoye, Poissy
Plan du rez-de-chaussée

la lourde charge du toit; le système ossature et dalles de béton armé offre précisément, avec le toit-terrasse, la possibilité de reconquérir « l'espace le plus précieux, l'espace sous le soleil ». Justifié tout d'abord, à la maison Schwob, par des raisons pratiques: l'écoulement vers l'intérieur des eaux de pluie et de fonte, le toit-terrasse devient, dès 1922, praticable; il offre, au plus loin de la circulation, le lieu idéal des jeux, de la détente et de la méditation; traité en toit-jardin, il permet de réintroduire, avec le soleil, la nature entière dans la vie quotidienne du citadin; il est aussi « apporteur de lumière », puisqu'il laisse pénétrer celle-ci, par des sheds ou des lanterneaux, jusqu'au cœur de la construction. Dégagée de l'étau sol-toit, la machine à habiter peut donc être placée librement dans l'espace. Autant que le gain brut d'espace (espace au sol plus espace au toit), l'indépendance acquise par rapport à la rue est pour Le Corbusier une conquête essentielle. Elle permet en effet de redéfinir les rapports de la cellule avec le milieu extérieur, l'architecture se prolonge naturellement en urbanisme, et en un urbanisme, comme on l'a appelé depuis, à trois dimensions.

Mais la « technique libératrice » fournit encore d'autres dispositifs qui permettent, eux, d'assurer la libre organisation de l'espace intérieur, de faire de l'urbanisme au sein même de l'architecture. Le Corbusier n'a pas découvert du premier coup toutes les possibilités offertes par le plan libre; elles ne se sont révélées à lui que progressivement, au fur et à mesure des découvertes que suscite, à partir de 1922, l'expérience concrète des maisons qu'il construit. Dans une première phase (système « Dom-ino », maison Schwob), le remplacement des murs portants par des poteaux formant appui ponctuel n'est encore envisagé que sous l'angle de l'économie.

De la maison Citrohan à la villa Savoye, Le Corbusier multiplie les variations sur le thème de la liberté du plan de la cellule d'habitation. Toutes reposent sur l'emploi du système structural poteau-dalle dérivé du brevet « Dom-ino »; les plus modestes, ainsi tel projet de « maisons pour artisans » de 1924, ne sont pas les moins virtuoses. Il a paru intéressant de rapprocher les documents graphiques qui permettent de comparer deux cas très différents de ce jeu magistral, la villa à Carthage et la villa Savoye. Indépendamment de la diversité des modes de composition, que Le Corbusier s'est plu à souligner, les deux maisons sont caractérisées par un même usage du contrepoint entre l'ossature d'une part, l'enveloppe et les partitions intérieures, de l'autre.
La villa Savoye réalise une interpénétration, non seulement des espaces intérieur et extérieur, mais surtout des niveaux, qui, pour des raisons extrinsèques, fait défaut à Carthage. Le contrepoint ossature-enveloppe est une constante de la pensée architecturale de Le Corbusier et se retrouvera jusque dans les plans du Parlement de Chandigarh ou des projets (non exécutés) pour la résidence du Gouverneur à Chandigarh et pour un Palais de Congrès à Strasbourg.

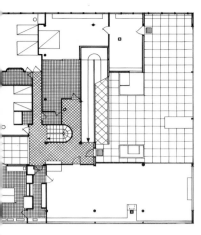

lla Savoye, Poissy
an de l'étage d'habitation avec jardin suspendu

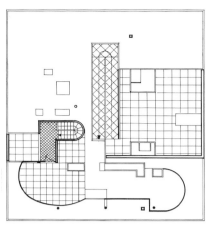

Villa Savoye, Poissy
Plan de l'étage du solarium

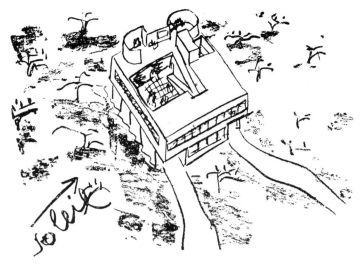

Villa Savoye à Poissy, vue à vol d'oiseau - 1929-1931.

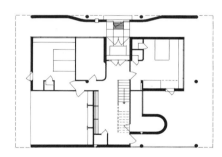

Villa à Carthage
Plan du rez-de-chaussée

Villa à Carthage (premier projet) - 1928.

Villa à Carthage
Plan du premier étage

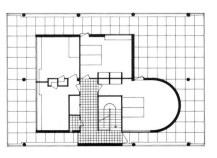

Villa à Carthage
Plan du deuxième étage

Unité d'habitation à Marseille, toit-terrasse - 1945-1952.

Le toit-terrasse est toujours présenté par Le Corbusier comme le complément naturel des pilotis. Solarium ou jardin dans les maisons individuelles, il prend, dans les édifices à usage collectif : blocs d'habitation comme les Unités, ou immeubles de bureaux, comme au Secrétariat de Chandigarh, voire usines, comme à Saint-Dié, une signification et une importance nouvelles, comme lieu de rencontres (facultatives) pendant les moments de loisir. Il devient ainsi, paradoxalement, un élément essentiel du système des circulations intérieures, un « instrument d'urbanisme », assumant une part importante de la fonction de relations qu'à l'échelle de la ville remplissait la rue ou la place.

Secrétariat à Chandigarh, toit-terrasse - 1958.

Villa à Garches - 1927.

Les poteaux restent inclus dans les cloisons désormais non porteuses, réalisées en matériau bon marché. Dans une deuxième étape « les poteaux ont quitté les angles et sont demeurés tranquillement au milieu des pièces ». Ensuite « les canaux de fumée ont quitté les murs ».

La recherche s'achemine vers une redistribution libre de tous les « organes » de la machine, en vue d'une amélioration de leur rendement. L'exploration des possibilités du plan libre est achevée lorsque « les escaliers sont devenus des organes libres... Partout les organes se sont caractérisés, sont devenus libres les uns à l'égard des autres... Les locaux, les salles, les chambres? On les disposera à volonté, suivant les contiguïtés utiles, suivant une organisation propre ». Deux « organes », en particulier, se détacheront des murs et surtout des façades: les escaliers, auxquels s'ajoutent les plans inclinés (rampes), et les sanitaires; ils viennent se placer là où ils sont le plus utiles et sont traités en objets plastiques indépendants.

La façade libre, autre conséquence de l'ossature linéaire, ne permettait pas seulement de disposer à volonté les ouvertures, mais aussi de remplacer la traditionnelle fenêtre-trou dans le mur par deux dispositifs nouveaux, le bandeau vitré continu et le pan de verre d'un seul tenant.

La fenêtre en bandeau ne soulevait d'autres difficultés qu'esthétiques — Auguste Perret en particulier tenait avec acharnement pour la porte-fenêtre, plus haute que large :

« La fenêtre, disait-il, c'est un homme debout. » La fenêtre en bandeau apparaît pour la première fois aux maisons La Roche et Jeanneret, on la retrouve, au cours des dix années suivantes, dans presque tous les projets de Le Corbusier, jusqu'à l'immeuble de la rue Nungesser-et-Coli. Le pan de verre, quant à lui, était d'un maniement plus délicat. Pour les difficultés de son assimilation architecturale d'abord : les immenses surfaces vides et uniformes qu'il faisait

Cité-Refuge de l'Armée du Salut à Paris, façade principale (avant le remaniement de l'immeuble) - 1929-1933.

Immeuble Clarté (Maison de verre) à Genève, détail de la façade nord - 1930-1932.

apparaître ne risquaient-elles pas, sous certains éclairages, de créer des trous incompatibles avec l'unité et l'équilibre de la composition? Ne dévoilaient-elles pas exagérément la vie des habitants? Mais surtout le pan de verre était d'une extrême sensibilité thermique.

Le Corbusier ne s'obstina pas longtemps à chercher à pallier par des artifices mécaniques les inconvénients qui en résultaient: il chercha et trouva dans le brise-soleil un moyen « naturel » d'amortir le heurt visuel aussi bien que climatique entre l'intérieur et l'extérieur. De la non-forme du pan de verre naissait un système plastique aux riches possibilités de développement. Ainsi, comme pour les pilotis, et de façon plus irrésistible encore, l'aventure créatrice de formes continuait.

*Immeuble locatif,
24, rue
Nungesser-et-Coli
à Paris - 1933.*

Dans cette exploration méthodique, à la fois inspirée et circonspecte, du plan libre, considérations économiques et motivations plastiques se conjuguent avec la volonté de définir un cadre de vie quotidienne conforme à l'« esprit nouveau ».

La même référence mécanicienne qui dicte toute la conception de la « machine à habiter » suggère le principe d'une approche nouvelle de l'espace à trois dimensions. « Un jour, nous avons remarqué que la maison pouvait être comme l'auto, une enveloppe simple, contenant à l'état de liberté des organes multiples » (lettre à Mme Meyer, 1925). Nous sommes ici aussi loin de Perret et de Frank Lloyd Wright, les deux initiateurs du plan libre, que des constructivistes russes. Rien, dans le contrepoint que Le Corbusier esquisse de l'« enveloppe » et des « organes », ne rappelle le rationalisme étroit d'Auguste Perret, dont l'ambition n'allait guère au-delà de « donner ses lettres de noblesse » au béton armé; ni le romantisme archaïque d'un Wright, pour lequel la libre expansion du plan manifeste la liberté de l'individu, maître du sol dont il a pris possession; ni le mimétisme mécanicien des Russes, aussi littéral que l'était celui, naturaliste, de l'Art Nouveau.

Frank Lloyd Wright, au Larkin Building, aux Midway Gardens et dans plusieurs de ses grandes maisons individuelles, J. Hoffmann au Palais Stoclet à Bruxelles, avaient, dès avant la guerre, joué en virtuoses des différences de hauteur sous plafond, et fait d'un grand vide central, sur lequel ouvrent des loggias, le motif dominant d'ordonnances architecturales très libres. De son côté, Perret, dès le garage Ponthieu et, de façon plus spectaculaire encore, au théâtre des Champs-Elysées, avait tiré de l'ossature de béton armé un parti analogue, étageant librement les niveaux dans l'espace. Le Corbusier s'était inspiré

de ces exemples dans la maison Schwob. Cependant dans celle-ci, comme dans les maisons de Wright et de Hoffmann, la composition reste à dominante horizontale, le volume à double hauteur formant seulement contraste avec d'autres volumes de hauteur simple, disposés alentour. Dans les « machines à habiter » des années 20 à 30, c'est le séjour à double hauteur, dans lequel « l'animal humain peut s'ébrouer à l'aise », qui donne la véritable mesure de la cellule. De la villa Savoye, Le Corbusier écrira qu'« elle n'est pas une composition de cellules isolées, mais un volume unique divisé en deux par un plancher »: chambres et locaux de service, dont les dimensions, à l'exemple des wagons-lits ou des paquebots, ont été ramenées au minimum rationnel, y sont introduits en tant qu'« organes » intégrés. L'ossature de béton armé permet ainsi de faire déboucher le plan libre sur une prise de possession complète des trois dimensions de l'espace.

Elle permet aussi d'agencer librement l'« enveloppe » à l'intérieur de laquelle viennent se placer les organes: en même temps que le plan libre, elle donne en effet la « façade libre ». Surface de contact entre le volume intérieur et l'espace extérieur, écran percé d'ouvertures pour le passage de la lumière, la façade, déchargée de toute fonction porteuse, peut désormais être traitée exclusivement en vue de son double rôle spécifique de membrane protectrice et d'enveloppe. Les « organes » dont elle est faite, parois et fenêtres, se disposent eux aussi en liberté; la fenêtre peut jouer pleinement le rôle qui lui revient dans la modulation de l'espace intérieur par la lumière. L'emploi des « tracés régulateurs » permet d'autre part de donner à la répartition des ouvertures un équilibre dynamique aussi rigoureux que celui qui détermine la composition des toiles de Mondrian.

Vue générale de la cité du Weissenhof à Stuttgart (prise peu de temps après sa construction) - 1927.

Début 1927, Le Corbusier reçut de Mies van der Rohe, désigné comme architecte en chef de l'Exposition internationale de l'Habitat que le Deutscher Werkbund organisait à Stuttgart, une invitation à participer à la construction de la cité expérimentale qui devait être édifiée au « Weissenhof », sur une des collines dominant la ville, dans le cadre de cette exposition.

Le moment choisi était exceptionnellement favorable à une manifestation collective de l'architecture moderne sur ce thème. Dans l'avant-programme établi par les promoteurs du projet — le groupe local du DWB — l'accent était mis sur les problèmes de rationalisation et de normalisation en matière d'habitat. Depuis 1918, d'immenses chantiers industrialisés s'étaient ouverts: en Hollande d'abord, où Oud construisait à Rotterdam quartier après quartier, en

Allemagne ensuite où, à Francfort, Ernst May avait entrepris son fameux programme de constructions populaires, et à Berlin où Martin Wagner, architecte en chef de la ville depuis 1925, faisait appel aux membres du « Ring » (Mies, Gropius, Hugo Häring, Bruno Taut, etc.) pour réaliser d'énormes ensembles d'habitat. En France, aux « Quartiers Modernes Frugès » de Bordeaux-Pessac, Le Corbusier venait de tenter, dans des conditions difficiles, et sur une échelle beaucoup plus modeste, une expérience analogue d'industrialisation du chantier. Les problèmes techniques posés par l'habitat pour le plus grand nombre étaient donc, en Europe, à l'ordre du jour. Cependant Mies van der Rohe, dans le programme définitif, insistait sur le fait que « si importants que soient ses aspects techniques et économiques, le problème de l'habitat moderne est, d'abord, un problème d'architecture.

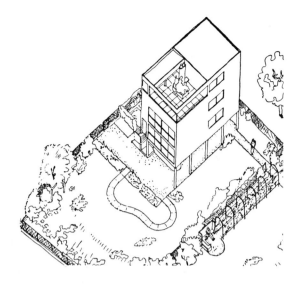

Le Corbusier : 2, Bruckmannweg.

Le Corbusier : 1-3, Rathenaustrasse.

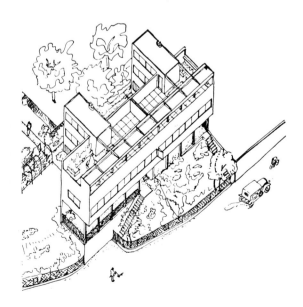

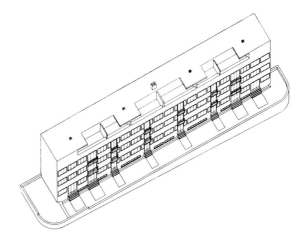

Ludwig Mies van der Rohe (1886-1969):
14-20, Am Weissenhof.

J. J. P. Oud (1890-1963): 1-9, Pankokweg.

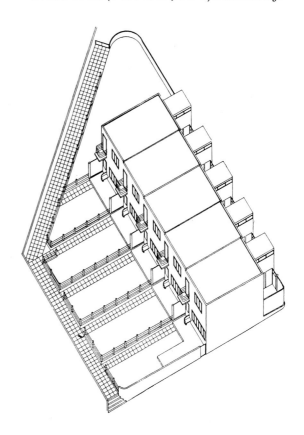

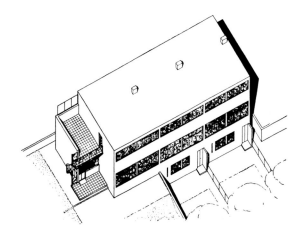

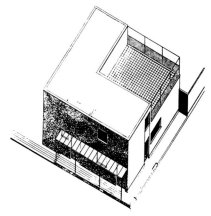

Mart Stam (1899) : 24-28, Am Weissenhof.

Hans Scharoun (1893-1972) : 1, Hölzelweg.

*Walter Gropius (1883-1969) :
4, Bruckmannweg. (Cette maison a
été altérée par des transformations.)*

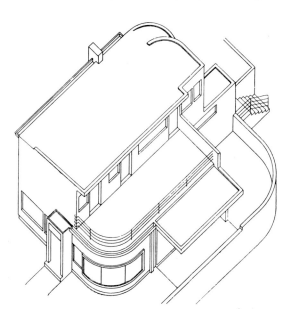

Rationalisation et normalisation ne sont pas tout le problème, ce sont des moyens qu'il faut se garder de prendre pour des fins. Le problème d'un nouvel habitat est un problème d'état d'esprit, la bataille pour un nouvel habitat n'est qu'un aspect du grand combat pour de nouvelles formes de vie ».

De telles affirmations ne pouvaient qu'enthousiasmer l'apologiste de L'Esprit Nouveau. Le Corbusier accepta. Parmi les autres invités étaient Behrens et Poelzig, Gropius, Hilberseimer, Scharoun pour l'Allemagne, les Hollandais Oud et Mart Stam, le Belge Victor Bourgeois, etc. Il y avait des absences : Erich Mendelsohn, Ernst May, Martin Wagner, Hugo Häring, par exemple.

Mies van der Rohe établit un remarquable plan-masse (partiellement réalisé) et, pour le reste, laissa aux architectes invités toute liberté pour orienter leur démonstration dans le sens qu'ils entendaient. Lui-même, dans un petit immeuble à ossature métallique, mettait l'accent sur la flexibilité du plan : « La construction par ossature est la mieux adaptée à nos besoins. Elle permet de rationaliser la construction et de diviser l'intérieur en toute liberté. » Une phrase qui annonce l'évolution future de Mies — et qu'aurait pu contresigner Le Corbusier. Gropius de son côté déclarait que « la tâche principale de l'architecte est aujourd'hui celle d'un organisateur qui a à confronter tous les problèmes biologiques, sociaux, techniques et plastiques et à en faire la synthèse dans une unité autonome ». Il s'était fixé un programme extrêmement précis, répondant à une préoccupation qu'il nourrissait de longue date : la préfabrication par montage à sec de maisons individuelles isolées. Oud traita au contraire le cas de la maison individuelle intégrée à une bande continue, c'est-à-dire à un contexte urbain, et l'étudia en fonction de la classification des circulations extérieure et intérieure : cette remarquable démonstration de la solidarité des problèmes d'architecture et d'urbanisme resta malheureusement, faute de place, fragmentaire. Quant à Le Corbusier, c'est à l'occasion du Weissenhof qu'il donna la formulation définitive de ses « Cinq points » dont les deux maisons qu'il construisit à Stuttgart fournissaient l'illustration.

La plus petite des deux était la réalisation tardive de la maison Citrohan de 1922 : « Une thèse de l'habitation moderne se présente ici. Un vaste volume de salle, dans lequel on vit toute la journée, dans ce bien-être des grandes dimensions et du grand cube d'air, de l'afflux de la lumière ; dégageant sur cette salle, des box attribués à des fonctions de courte durée et pour lesquelles les dimensions exigées par les règlements en vigueur sont trop grandes... » La maison était en principe juxtaposable et superposable. La plus grande des deux maisons, à deux logements, entendait présenter « la même thèse, mais sous une forme différente » : « La grande salle est obtenue par l'éclipse de parois volantes qui ne sont employées que de nuit pour faire de la maison une sorte de sleeping-car... Un petit couloir latéral, de la dimension exacte de celui des wagons de la Compagnie Internationale des Wagons-Lits... » L'étude de la préfabrication de cette « machine à habiter » avait été poussée très loin.

Le retentissement de l'exposition du Weissenhof fut considérable. Elle faisait en effet apparaître l'unité d'intention et de langage de l'architecture nouvelle en Europe. A Le Corbusier qui, en France, affirmait qu'« il n'y a aucune honte à avoir une maison qui soit pratique comme une machine à écrire », faisait écho Hilberseimer en Allemagne, pour lequel « le meilleur logis sera celui qui aura été traité comme un parfait objet d'usage », ou encore, en Hollande, Mart Stam : « Pour tout esprit honnête et clair, disait celui-ci, le logis est un objet d'usage. » Le refus de la représentation, l'exigence de moralité font l'accord unanime, de même que l'emploi d'un langage formel puriste ou néo-plasticiste : le toit-terrasse a valeur d'un article de foi.

Moins d'un an après la clôture de l'exposition, en juin 1928, a lieu au château de La Sarraz la réunion préparatoire des Congrès Internationaux d'Architecture Moderne : le thème choisi pour le premier congrès — qui aura lieu en 1929 à Francfort — est celui-là même dont l'exposition de Stuttgart avait montré qu'il était au centre des préoccupations de l'architecture nouvelle : « le logement minimum ». Mais, si le Weissenhof a permis aux architectes d'avant-garde de prendre plus profondément conscience de leur solidarité, il ne faut pas oublier que c'est à son propos que s'est développée la première grande campagne de presse dirigée contre l'architecture moderne et que furent formulés les thèmes majeurs de l'agitation culturelle national-socialiste : celui de l'« architecture dégénérée », de l'« architecture de boulevard » dont, à partir de cette date, Le Corbusier apparaîtra comme le chef de file — le « cheval de Troie du bolchévisme ».

A simplement passer en revue les cinq points de l'architecture nouvelle: «pilotis, toit-terrasse, plan libre, façade libre, fenêtre en bandeau», on a le sentiment que Le Corbusier ne fait que combiner et développer de façon systématique des dispositions éparses chez ses devanciers. Les pilotis ne dérivent-ils pas directement de l'ossature Perret, le plan libre ne se trouve-t-il pas bien avant la première guerre chez Wright, le mur lisse chez Loos, le toit-terrasse chez Tony Garnier, la fenêtre en bandeau chez Loos encore et chez les Hollandais? Le séjour à double hauteur avec loggia n'était-il pas courant à Paris, dans les ateliers d'artistes, dès le Second Empire? Il saute cependant aux yeux que, de ces dispositions, Le Corbusier fait tout autre chose que la somme ou même la synthèse. Chacune d'entre elles est repensée en tant qu'«organe» d'une machine conçue, d'emblée, comme une unité à la fois fonctionnelle et spatiale. A la méthode additive, procédant par composition plus ou moins libre de volumes déterminés dans une large mesure par des contraintes structurales, Le Corbusier substitue une approche diamétralement opposée, qui ne veut connaître qu'une enveloppe indépendante du sol et contenant des organes libres, définis en vertu des seules exigences de l'organisation et de la plastique.

Or, penser ainsi l'édifice, non plus en termes de composition, mais comme un organisme ou comme une machine, équivalait à rompre avec toutes les habitudes, à introduire dans la pensée architecturale des notions nouvelles, voire scandaleuses, comme celles d'apesanteur et de mobilité. Il semblait, de plus, y avoir contradiction dans l'équilibre que Le Corbusier prétendait établir entre l'expansion des organes créant librement leur espace et la rigueur de l'unité spatiale définie par l'enveloppe. La

réinterprétation qu'il donnait de la notion de plan et à laquelle il attachait une importance primordiale n'était pas moins troublante.

C'est dans une petite phrase de *Vers une architecture* qu'on trouve l'indication décisive: «L'œil du spectateur se meut dans un site...» et voit, en se mouvant, naître l'architecture. Le plan n'est pas une donnée abstraite, mais le schéma d'organisation d'une expérience visuelle vécue dans le mouvement et se déroulant dans la durée, le scénario d'une «promenade architecturale». De la maison La Roche, Le Corbusier dit: «On entre. Le spectacle architectural s'offre de suite au regard. On suit un itinéraire et les perspectives se développent avec une grande variété. On joue avec l'afflux de la lumière éclairant les murs ou créant des pénombres. Les baies ouvrent des perspectives sur l'extérieur où (par suite de la disposition en retour d'équerre de la maison et des redents formés par l'enveloppe) on retrouve l'unité architecturale.»

D'abord donc, le mouvement et puis, aussitôt, la lumière, que réfléchissent les murs ou absorbent les vides modulant l'espace. Concevoir le plan, dit Le Corbusier à propos de la Mosquée verte de Brousse, c'est «assujettir le visiteur à un rythme sensoriel, concevoir une intention motrice» qui fasse naître «un monde en soi». Lumière et mouvement sont les moyens par lesquels l'édifice «dit ce qu'il a à dire».

«On dispose de murs droits ou courbes, d'un sol qui s'étend, de trous qui sont des passages d'hommes ou de lumière, portes ou fenêtres; les trous éclairent ou font noir, rendent gai ou triste, les murs sont éclatants de lumière, ou en pénombre, ou en ombre, rendent gai, serein ou triste, votre symphonie est apprêtée.» (Ô Seurat!) C'est parce qu'il ne voit pas dans le mur un obstacle à la lumière, mais un réflecteur de lumière, que Le Corbusier écrit dans *Vers une architecture* cette phrase à première vue singulière: « Ayez le respect du mur. Le Pompéien ne troue pas ses murs; il a la dévotion des murs, l'amour de la lumière. » La couleur prolonge, parfois même corrige l'action de la lumière: « Les premiers essais de polychromie (à la maison La Roche), basés sur les réactions spécifiques des couleurs, permettent le camouflage architectural, c'est-à-dire l'affirmation de certains volumes ou au contraire leur effacement. » Cette polychromie ne se justifie au reste que par le blanc; la couleur ne doit jamais brouiller les formes, ni les situations: « L'intérieur de la maison doit être blanc, mais, pour que le blanc soit appréciable, il faut la présence d'une polychromie bien réglée.» A Pessac, Le Corbusier l'étend à l'extérieur pour « supprimer les volumes (poids) et amplifier le développement des surfaces (extension) »; le principe est toujours de « considérer la couleur comme apporteuse d'espace ».

Cette interprétation dynamique, rythmique, du plan libre, cet emploi non plus décoratif, mais constructif de la couleur, présentent d'évidentes affinités avec d'autres expériences contemporaines. Si le primat que Le Corbusier donne à la lumière, ou plus exactement au jeu des lumières réfléchies sur des surfaces lisses, suffit pour le situer très loin de Frank Lloyd Wright, le souci d'assurer, d'une part, un enchaînement souple des situations spatiales successives et, d'autre part, de supprimer les volumes pour amplifier le développement de l'espace, se manifeste à des degrés divers chez tous les représentants du mouvement moderne des années 20, sans susciter toutefois chez aucun d'eux, si ce n'est chez Mies van der Rohe, un lyrisme d'une intensité comparable. Quant à la polychromie architecturale, elle avait été étudiée par *De Stijl* dès 1917.

Le Corbusier avait eu, sans doute, connaissance dès 1920 des recherches hollandaises par van Doesburg — en tout cas, au plus tard en 1923, lors de l'exposition de projets d'architecture néo-plasticiste à la Galerie Rosenberg. Toutefois, si l'on doit admettre que c'est l'exemple de *De Stijl* qui a provoqué la cristallisation d'observations faites dès le voyage d'Orient de 1910, c'est bien de l'expérience spécifique du purisme que dérive la polychromie de la maison La Roche ou de Pessac. Non seulement elle en garde le chromatisme assourdi, mais également le souci de préserver, malgré l'accusation de la surface, la densité, la réalité physique des éléments de la composition; souci qui fera toujours refuser par Le Corbusier l'abstraction en peinture.

Le contrepoint qui s'établit, dès les premières maisons puristes, entre des écrans plans ou incurvés s'articulant librement les uns aux autres, et des objets plastiques fortement individualisés, est du reste ce qui caractérise le plus nettement l'espace architectural de Le Corbusier par rapport à celui de Mies van der Rohe. Au pavillon allemand de l'exposition de Barcelone, par exemple, seuls des écrans disposés librement interviennent pour marquer les temps essentiels du déroulement de la promenade architecturale, plus fluide encore, mais moins animé, moins riche d'inventions et de surprises qu'à la villa Savoye. Cette promenade, d'autre part, ne se développe chez Mies que sur un seul niveau et ne débouche pas sur cette prise de possession totale de l'espace à trois dimensions qui caractérise les projets de Le Corbusier, des plus simples aux plus complexes.

Cependant, si originale que soit, chez Le Corbusier, la manifestation plastique de l'« intention motrice », elle compte moins en définitive, pour l'intelligence de sa démarche, que sa volonté tenace et passionnée de discipliner cette richesse, de classer avec clarté et simplicité les « événements architecturaux » qui surgissent à chaque instant de la promenade, d'en ramener la complexité à une « unité » qui fasse de la maison, elle-même simple événement architectural dans un site toujours infiniment complexe (« le dehors est toujours un dedans »), un facteur d'ordre et de sérénité. Dans la lettre déjà citée à Mme Meyer, Le Corbusier exprime avec force cette volonté classique d'unité: « Nous avons rêvé de vous faire une maison qui fût lisse et unie comme un coffre de belle proportion et qui ne fût pas offensée d'accidents multiples, qui créent un pittoresque artificiel et illusoire, qui sonnent mal sous la lumière et ne font qu'ajouter au tumulte d'alentour... Ne croyez pas que le lisse soit l'effet de la paresse, il est au contraire le résultat de plans longuement mûris, le simple n'est pas le facile... A vrai dire, c'est là la plus grande difficulté de l'architecture: faire rentrer dans le rang. » Mais: « Nous pensons que l'unité est plus forte que les parties. » Le fameux dessin des quatre compositions et le commentaire lapidaire qui l'accompagne retracent les principales péripéties de cette lutte pour la maîtrise de l'unité. Pour Le Corbusier, la maison, cellule d'habitat individuelle, doit toujours rester virtuellement combinable; elle doit être capable de s'intégrer à un groupement plus complexe, dans lequel elle se trouvera sur un pied d'égalité avec d'autres. Dans ce sens encore, la « machine à habiter » reste « produit de série ».

En haut:
Maison La Roche à Paris, hall (état actuel) - 1923.

En bas:
Maison La Roche à Paris, hall (peu après sa construction).
1923.

◄ *Un double jeu de circulations verticales (escaliers et rampes) se développe de part et d'autre du hall d'entrée, à triple hauteur sans plafond, qui dessert en même temps qu'il les sépare la zone d'habitation proprement dite (salle à manger et chambre à coucher, photo du haut) de la zone de réception (salon et bibliothèque, photo du bas).*

« *Nous irons chercher les peintres pour* faire sauter les murs ► qui nous gênent, *dit Le Corbusier. La polychromie architecturale... s'empare du mur entier et le qualifie avec la puissance du sang, ou la fraîcheur de la prairie, ou l'éclat du soleil, ou la profondeur du ciel et de la mer. Quelles forces disponibles! C'est de la dynamique comme je pourrais écrire: de la dynamite, tout aussi bien, avec mon peintre introduit dans la maison. Si tel mur est bleu, il fuit; s'il est rouge, il tient le plan, ou brun; je peux le peindre noir, ou jaune... La polychromie architecturale ne tue pas les murs, mais elle peut les déplacer en profondeur et les classer en importance. Avec habileté, l'architecte a devant lui des ressources d'une santé, d'une puissance totales. La polychromie appartient à la grande architecture vivante de toujours et de demain. Le papier peint a permis d'y voir clair, de répudier ces jeux malhonnêtes et d'ouvrir toutes portes aux grands éclats de la polychromie, dispensatrice d'espace, classificatrice des choses essentielles et des choses accessoires. La polychromie, aussi puissant moyen de l'architecture que le plan et la coupe. Mieux que cela: la polychromie, élément même du plan et de la coupe.* »

Sur l'usage de la polychromie à l'intérieur de la maison, Le Corbusier, dans un entretien avec Léger, se déclare pleinement d'accord avec les Hollandais, tout en faisant hommage à Léger de la première idée de leurs recherches (?) ainsi que des siennes propres. En revanche, il leur reproche l'emploi qu'ils font de la polychromie à l'extérieur; où, dit-il, « elle détruit, désarticule, divise, donc va à l'encontre de l'unité ». Lorsqu'en 1925 il a lui-même recours à la polychromie extérieure pour ordonner les volumes de ses maisons de Pessac, il le fait dans un tout autre esprit, qu'il définit ainsi dans un tract: « Il se dégage des constructions de

Theo van Doesburg (1883-1931)
et Cornelis van Eesteren (1897):
Projet d'architecture - 1923.

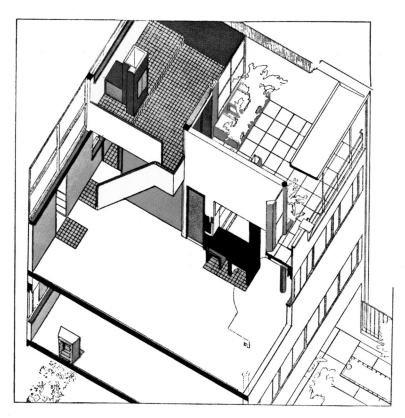

Eclaté de la Maison Cook à Boulogne-sur-Seine - 1926.

Pessac une esthétique inattendue, neuve. Mais cette esthétique est licite, conditionnée par les impératifs d'une part de la construction et, d'autre part, par les bases primordiales de la sensation architecturale, le volume. Les prismes qui se dressent les uns à côté des autres obéissent à des règles de mise en proportion, rapports que nous avons cherché à rendre éloquents et harmonieux. Nous avons aussi appliqué une conception entièrement neuve de la polychromie, poursuivant un but nettement architectural: modeler l'espace grâce à la physique même de la couleur, affirmer certaines masses du lotissement, en faire fuir certaines autres — en un mot composer avec la couleur comme nous l'avions fait avec les formes. C'était ainsi conduire l'architecture dans l'urbanisme. »

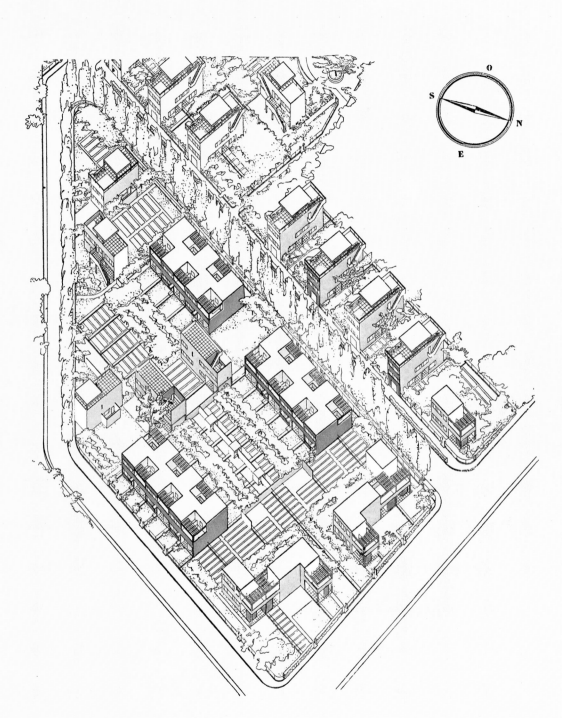

Axonometrie der „Quartiers Modernes Frugès" (Mustersiedlung), Bordeaux-Pessac - 1925.

Les quatre compositions :

1. Maisons La Roche et Jeanneret à Paris - 1923.
2. Villa à Garches - 1927.
3. Villa à Carthage - 1929.
4. Villa Savoye à Poissy - 1929-1931.

« Un édifice est comme une bulle de savon. Cette bulle est parfaitement harmonieuse si le souffle est bien réparti, bien réglé de l'intérieur. L'extérieur est le résultat d'un intérieur. » Le Corbusier s'est souvent référé lui-même à son fameux dessin des « quatre compositions », dans lequel il a résumé les « transes esthétiques » par lesquelles il est passé avant de parvenir à cette « répartition harmonieuse du souffle » qui met l'édifice en parfait équilibre avec son milieu et fait de l'enveloppe une membrane séparant clairement les choses tout en facilitant au maximum les osmoses. Lorsqu'il écrit que « l'extérieur est le résultat d'un intérieur », il veut dire que l'enveloppe exprime l'organisation des volumes : mais ces volumes peuvent être aussi bien extérieurs qu'intérieurs. Les compositions 1 et 2 fixent les cas-limites des rapports possibles entre les volumes enclos et l'espace environnant, 3 et 4 représentent deux essais successifs de conciliation entre les recherches, apparemment contradictoires, d'ouverture et d'unité (cf. les plans donnés p. 99). Il n'est pas sans intérêt de rapprocher ces deux dernières solutions de la villa néo-plasticiste de Mies van der Rohe (p. 89).

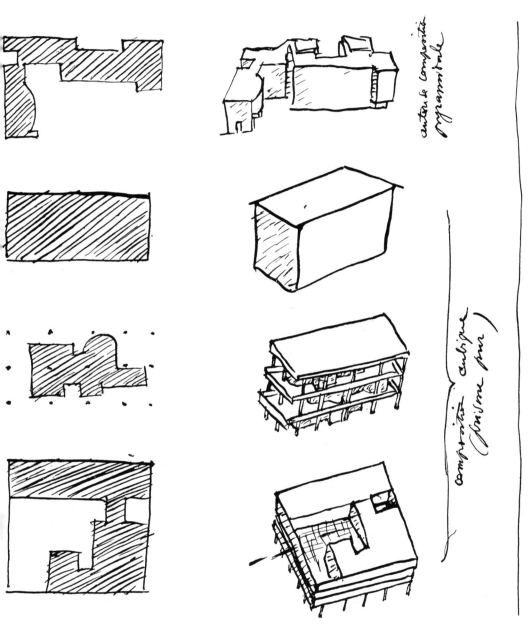

autour de composition pyramidale

composition cubique (prisme pur)

genre plutôt facile,
pittoresque
mouvementé
On peut toutefois le
discipliner par classement
et hiérachie

très difficile
(satisfaction de l'esprit)

très facile,
pratique
combinable

très généreux
on affirme à l'extérieur
une volonté architecturale,
on satisfait à l'intérieur
à tous les besoins fonctionnels
(insolation, contiguités,
circulation.

Pavillon Suisse à la Cité Universitaire de Paris, façade sud - 1930-1932.

Pour Le Corbusier, la « promenade architecturale » n'est pas délectation épisodique d'esthète ou de spécialiste, non plus que divertissement et pittoresque: elle est la substance même de l'expérience de l'architecture: « Des formes sous la lumière. Dedans, et dehors; dessous, et dessus. Dedans: on entre, on marche, on regarde en marchant, et les formes s'expliquent, se développent, se combinent. Dehors: on approche, on voit, on s'intéresse, on apprécie, on tourne autour, on découvre. On ne cesse de recevoir des commotions diverses, successives. Et le jeu joué apparaît. On marche, on circule, on ne cesse de bouger, de se retourner. Observez avec quel outillage l'homme ressent l'architecture: il a deux yeux qui ne peuvent voir que devant; il peut tourner la tête latéralement ou de bas en haut, tourner le corps, ou transporter son corps sur ses jambes et tourner tout le temps. Ce sont des centaines de perceptions successives qui font sa sensation architecturale. C'est sa promenade, sa circulation qui vaut, qui est motrice d'événements architecturaux. Par conséquent le jeu joué n'a pas été établi sur un point fixe central, idéal, rotatif, et à vision circulaire simultanée. Ça, c'est alors l'architecture des Ecoles, des académies, c'est le fruit décadent de la Grande Renaissance, c'est la mort de l'architecture, sa pétrification. »

La villa Savoye conclut la suite de « promenades » ouverte par la maison La Roche. Elle réalise le projet ambitieux d'intégrer l'espace intérieur et un espace extérieur élargi aux dimensions des « quatre horizons » :

« Le site : une vaste pelouse bombée en dôme aplati. La vue principale est au nord, elle est donc opposée au soleil ; le devant normal de la maison serait donc à contresens. La maison est une boîte en l'air, percée tout le tour, sans interruption, d'une fenêtre en longueur. Plus d'hésitation pour faire des jeux architecturaux de pleins et de vides.

Villa Savoye à Poissy, angle nord - 1929-1931.

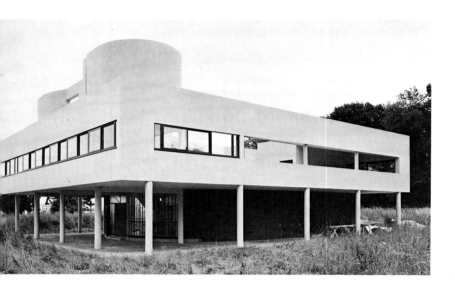

Angle est.

Angle sud.

Angle ouest.

La boîte est au milieu des prairies, dominant le verger. Sous la boîte, passant à travers les pilotis, arrive un chemin de voitures faisant aller et retour par une épingle à cheveux dont la boucle enferme, précisément sous les pilotis, l'entrée de la maison, le vestibule, le garage, les services (buanderie, lingerie, les chambres de domestiques). Les autos roulent sous la maison, se garent ou s'en vont.

De l'intérieur du vestibule, une rampe douce conduit, sans qu'on s'en aperçoive presque, au premier étage, où se déploie la vie de l'habitant: réception, chambres, etc. Prenant vue et lumière sur le pourtour régulier de la boîte, les différentes pièces viennent se coudoyer en rayonnant sur un jardin qui est là comme un distributeur de lumière appropriée et de soleil.

C'est le jardin suspendu sur lequel s'ouvrent en toute liberté les murs de glace coulissants du salon et plusieurs des pièces de la maison: ainsi le soleil entre partout, au cœur même de la maison.

Du jardin suspendu, la rampe, devenue extérieure, conduit sur le toit, au solarium.

Celui-ci d'ailleurs est relié par les trois volées d'un escalier à vis jusqu'à la cave creusée en terre sous les pilotis. Cette vis, organe vertical pur, s'insère librement dans la composition horizontale.

Pour finir, voyez la coupe: l'air circule partout, la lumière est en chaque point, pénètre partout. La circulation fournit des impressions architecturales d'une diversité qui déconcerte tout visiteur étranger aux libertés architecturales apportées par les techniques modernes. Les simples poteaux du rez-de-chaussée, par une juste disposition, découpent le paysage avec une régularité qui a pour effet de supprimer toute notion de « devant » ou de « derrière » de maison, de « côté » de maison.

Le plan est pur, fait au plus exact des besoins. Il est à sa juste place dans l'agreste paysage de Poissy.

Vous ne m'en voudrez pas, j'espère, d'avoir développé sous vos yeux cet exemple de libertés prises. Elles ont été prises parce qu'elles ont été acquises, arrachées aux sources vives de la matière moderne. Poésie, lyrisme apportés par les techniques. »

Double accès à l'étage d'habitation par la rampe et par l'escalier.

Rampe d'accès au solarium.

Jardin-terrasse.

Le site est aujourd'hui détruit, et il faut quelque imagination pour se représenter ce que fut la consonance primitive de la vie des habitants de la villa avec celle de la nature environnante. Mais il reste — et rien ne pourra le faire mourir — sous le ciel changeant, l'extraordinaire mouvement de l'espace vibrant musicalement. Ayant pour toujours cessé de fonctionner en tant que « machine à habiter », la villa se découvre désormais au promeneur, telles les Salines de chaux d'un autre rationaliste visionnaire, Claude-Nicolas Ledoux, comme pure création de l'esprit.

Espace et plastique

Je compose avec la lumière.

L'Assemblée de Chandigarh, salle des pas perdus - 1961.

D E même que les épures de bouteilles et de verres de sa période puriste sont désormais classées au chapitre des recherches qui, au lendemain de la première guerre, aboutirent au dépassement des contradictions du cubisme, de même les « machines à habiter » que Le Corbusier a projetées ou construites de 1922 à 1930 sont, depuis longtemps, avec les Delage et les Voisin de leurs propriétaires, avec la Tour de Tatlin, le Bauhaus, le *Théâtre total*, et le *Ballet mécanique*, avec les gratte-ciel de verre de Mies, le *Proun* de Lissitzky et les plexiglas de Gabo, entrées au musée imaginaire de la civilisation mécanicienne ; elles y ont leur place parmi ces constructions dépouillées dans lesquelles s'est incarné le rêve optimiste et exigeant du « monde blanc » des certitudes sereines, dont van Doesburg annonçait, en 1927, qu'il effacerait jusqu'au souvenir du « monde brun » de la veulerie sentimentale et de l'équivoque décorative.

Il est certes tentant et facile, mais en fin de compte assez vain, d'opposer la légèreté et la réserve de ces maisons à la densité plastique et au « brutalisme »

◀ *Vue de l'atelier de Le Corbusier, 24, rue Nungesser-et-Coli à Paris, montrant le moellon laissé apparent du mur mitoyen - 1933.*

des grandes constructions que, après quinze ans d'interruption quasi totale de son activité architecturale, Le Corbusier a accumulées entre 1950 et 1965. Qui était Le Corbusier architecte? L'austère mécanicien du purisme, le classique paradoxalement soucieux de « faire rentrer dans le rang » les formes qu'il a tout juste fait accéder à la liberté?, ou bien le plasticien passionné qui, passé la soixantaine, les développe avec une insistance qualifiée parfois, à son grand courroux, de baroque?, qui jongle avec les masses d'une façon certes spectaculaire, mais dans laquelle on peut voir la négation même de cette mobilité, de cette dématérialisation de l'enveloppe architecturale de l'espace à laquelle il était parvenu vingt-cinq ans plus tôt?

Il ne semble pas que ce soit en confrontant deux langages formels — puriste et lyrique — dans lesquels Le Corbusier se serait successivement exprimé, encore moins en les opposant rhétoriquement l'un à l'autre, que l'on peut espérer trouver réponse à la question. Car si Le Corbusier, plus qu'aucun autre des protagonistes de l'architecture du XX siècle, a eu le don redoutable de transmuer en formes, et en formes d'une tonalité violemment personnelle, toutes ses intuitions spatiales et toutes les relations fonctionnelles qu'il entendait établir, ce n'est pas vers la

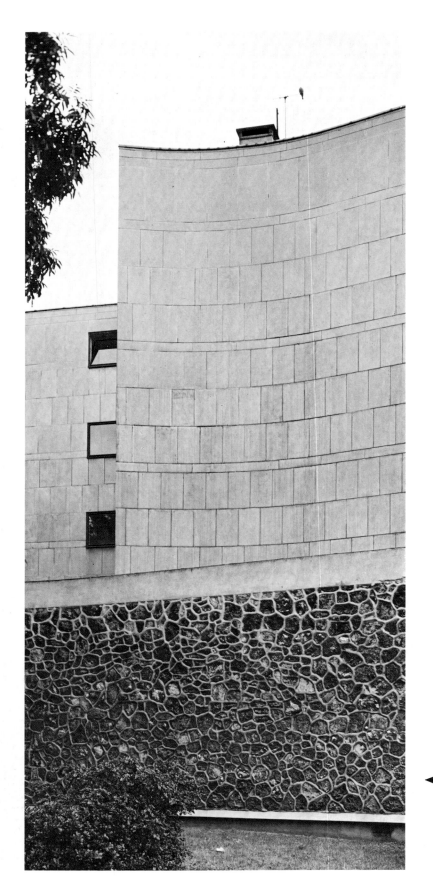

Si, une fois abandonnée l'abstraction blanche des maisons puristes, la matière est de plus en plus présente dans l'architecture de Le Corbusier ; s'il n'amortit jamais, mais au contraire accuse avec vigueur les oppositions de masses et les contrastes de textures, les matériaux qu'il met en jeu sont néanmoins peu nombreux: la préciosité artisanale, le goût et le sens des matières patiemment élaborées, que l'on trouve chez un Perret ou chez un Mies van der Rohe, lui sont aussi étrangers que les recherches d'effets de surface si répandus dans l'architecture contemporaine: Le Corbusier ne traite pas la matière autrement que la polychromie architecturale, c'est-à-dire comme un moyen de structurer l'espace. Aussi les contrastes concernent-ils les qualités fondamentales : le brut et le « fini », le mat et le lumineux, pour les textures, le pesant et le mobile, le transparent et l'opaque, l'orthogonal et le continu, pour les masses.

◄ *Pavillon Suisse, Cité universitaire à Paris: parement de pierre polie et panneau de meulière - 1930-1932.*

Pavillon du Brésil, Cité universitaire à Paris: ► *coffrage du béton laissé apparent selon les indications de Le Corbusier - 1957-1959.*

création de formes, encore moins vers l'élaboration d'un « style », qu'il a jamais orienté sa recherche. L'aventure plastique de son architecture est sans doute unique, fascinante, et nous lui devons quelques-unes des plus fortes émotions que nous ait procurées depuis longtemps l'art de bâtir. Mais il est aussi évident qu'elle prête à de graves malentendus. C'est au-delà de ce jeu « savant, correct et magnifique » pour les uns, stérile et rhétorique, pour les autres, « des formes sous la lumière » que nous trouverons les éléments nécessaires à une identification, voire à un éventuel jugement, de Le Corbusier architecte.

Au demeurant, si le renouvellement du langage plastique est apparu (à Marseille) de façon surprenante pour le grand public, il était amorcé de longue date, et il suffit de se reporter aux rares constructions et aux nombreux projets du deuxième avant-guerre pour constater qu'à partir de 1930 Le Corbusier abandonne peu à peu la transparence puriste, à laquelle il avait du reste, dans sa peinture, renoncé dès 1927-1928. Au Pavillon Suisse, par exemple, les pilotis sont sculptés dans la masse et un panneau de meulière vient incongrûment rompre l'unité des surfaces lisses. Le gratte-ciel pour Alger est comme enrobé de brise-soleil caverneux. Les formes se font plus denses, les ombres plus profondes, des motifs constructifs archaïsants apparaissent (les voûtes plates de la Celle-Saint-Cloud par exemple); le béton, tenu jusqu'alors caché ou engobé dans un enduit lisse et blanc, se manifeste de plus en plus vigoureusement comme matière, avec ses bavures et sa grisaille; le moellon, utilisé dans les villas des Mathes et du Pradet, pénètre jusque dans l'atelier de la rue

◄ *Chapelle de Ronchamp : mur ouest et bac de la gargouille, crépi blanc et béton brut - 1950-1953.*

Nungesser-et-Coli, où Le Corbusier conserve tel quel, dans une sorte de « collage » architectural sans précédent, le mur mitoyen maçonné à la diable de la maison voisine. Viennent encore le bois brut (comme à la maison Errazuris), la brique nue — autant de matériaux pauvres, mais pesants, grenus, veinés, rugueux, présents à la fois par leur texture et par leur masse.

Dès 1930 commence donc à se désagréger la rigoureuse et abstraite unité du langage puriste — c'est-à-dire au moment même où entre en crise tout le mouvement dit de « l'architecture internationale ». Crise provoquée non seulement par les événements extérieurs — la dépression économique, l'étouffement brutal du mouvement allemand, si vivant et si vivifiant — mais aussi par des raisons esthétiques profondes. Il apparaît entre autres qu'à cette date, en Europe tout au moins, les techniques de second œuvre, en particulier de climatisation et de protection des surfaces extérieures, n'ont pas encore atteint un niveau qui permette de réaliser pratiquement la dématérialisation quasi totale de l'enveloppe à laquelle invitait le progrès de la construction proprement dite et que réclamait l'esthétique postcubiste. L'échec du « pan de verre exact », la mauvaise tenue des enduits, les exigences de chantiers campagnards (au Pradet, aux Mathes) amènent Le Corbusier à tempérer son intransigeance à l'égard de la matière, voire à revenir en partie à des techniques artisanales. Viendra ensuite le dénuement des années de pénurie, que Le Corbusier, sans commandes, sans guère de ressources, dans une Europe exsangue, subira durement. Gropius et Mies van der Rohe, passés, après quelques années difficiles, dans un pays d'économie d'abondance et de haut niveau technologique, n'auront pas l'occasion de développer à ce point le sens de la pauvreté.

Mais, pour n'avoir pas été soudain, le renouvellement du langage architectural ne manifeste-t-il pas cependant un renoncement à la mobilité, à l'apesanteur, c'est-à-dire en fin de compte à la liberté de l'espace, conquête tant célébrée des maisons puristes? N'est-il pas un camouflage sous lequel, conscient du fait que, privé entre quarante-cinq et soixante ans de toute possibilité d'expérience, il se trouve bloqué sur des positions théoriques désormais dépassées, Le Corbusier vieillissant essaie de se cacher à lui-même le piétinement de sa recherche en donnant libre cours aux caprices de son imagination? Le « plan libre », la « façade libre » ne deviennent-ils pas prétextes à exercices de pure virtuosité formelle, dans lesquels se complaît une passion plastique de plus en plus exigeante?, ou bien y a-t-il eu, parallèlement à l'exploration de nouvelles possibilités d'expression par la forme et la matière, approfondissement de cette notion de plan, d'« intention motrice », en quoi Le Corbusier voyait, dès 1921, le générateur dynamique de toute architecture et, avec la métamorphose de l'enveloppe, non plus « lisse et unie comme un coffre de belle proportion » mais réalité plastique de plus en plus complexe, la révision radicale de la relation entre espace intérieur et espace extérieur?

Le projet de Musée d'art moderne de 1931, première version d'un thème d'une grande importance que Le Corbusier reprendra maintes fois par la suite, est contemporain de l'achèvement de la villa Savoye. Il nous intéresse moins pour la façon, singulièrement neuve pourtant, dont il traite le programme particulier du musée, que pour les propositions spatiales qu'il comporte et qui sont d'une portée beaucoup plus générale. Du principe de la distinction, introduite par les pilotis, entre deux zones superposées et indépendantes, réservées l'une à la circulation et

l'autre à l'habitat, Le Corbusier tire en effet celui de structures continues, suspendues au-dessus du sol et se développant librement, en nappe ou en réseau aux mailles plus ou moins lâches, dans le sens horizontal. Dès 1925, c'est-à-dire presque en même temps que l'« immeuble-villas » qui groupe les cellules verticalement, Le Corbusier avait établi un projet de Cité universitaire dans lequel il proposait un groupement horizontal, tramé et virtuellement sans façade, c'est-à-dire sans enveloppe, de cellules individuelles juxtaposées à même le sol. Le projet tirait un parti remarquable du toit-terrasse, traité en « apporteur de lumière » et permettant d'éclairer par des sheds et des lanterneaux les volumes inclus dans une structure compacte. Mais le problème des circulations intérieures et extérieures n'y était pas résolu. Dans le Musée au contraire, et sous lui, ces circulations s'établissent avec une liberté théoriquement totale: non seulement le sol reste dégagé pour les circulations extérieures, mais l'accès par le centre (au demeurant déjà réalisé à la villa Savoye) permet de développer sur 360 degrés, et non plus seulement sur 180, l'« intention motrice » du circuit intérieur. La spirale carrée sur laquelle s'articule celui-ci donne à une structure cellulaire (le projet est conçu en fonction d'une préfabrication intégrale) une mobilité non plus seulement virtuelle, optique — comme c'était le cas dans les *boxes on stilts* qui excitaient la fureur de F. L. Wright — mais réelle, qui lui permet littéralement de progresser, en fait une architecture marchante et capable de transformation. Le thème de la variabilité, de la mobilité du volume construit, n'avait été étudié jusque-là, au Bauhaus en particulier, qu'au niveau de la maison individuelle, toujours du reste en liaison avec des recherches de préfabrication; pour la première fois, au Musée à Croissance

Illimitée, Le Corbusier le développe à une échelle beaucoup plus large, qui est certes encore celle de l'architecture, mais qui pourrait déjà être celle de l'urbanisme: modifiable à tout moment et en tout point (par déplacement ou suppression du plancher, du mur ou du toit), la trame foisonnante du Musée est le premier exemple d'une structure architecturale conçue comme méthode d'organisation de l'espace, et non plus comme forme exprimant une esthétique déterminée.

Ni la Cité universitaire, ni le Musée à Croissance Illimitée n'ont été réalisés (les musées de Tokyo et d'Ahmedabad ne sont que des dérivations fragmentaires de l'idée de 1931), mais la méthode même qui avait inspiré cette idée devait amener Le Corbusier à proposer, peu de temps avant sa mort, sur un programme tout différent, une solution que seules ses récentes prouesses plastiques, à Ronchamp et à Chandigarh, firent paraître surprenante. Dans le projet d'hôpital pour Venise, Le Corbusier combine en effet le groupement en unités horizontales de cellules éclairées par le haut, qui est celui de la Cité universitaire de 1925, avec le principe de structuration de l'espace en nappes superposées, et avec un système de circulations intérieures et extérieures étroitement imbriquées, mais indépendantes, reposant sur l'accès central: ce sont là les éléments essentiels du projet de Musée à Croissance Illimitée. Architecture continue et suspendue, l'hôpital sans façades de Venise ne croît pas, comme le Musée, par déroulement de spires concentriques, mais par la juxtaposition de blocs, correspondant aux unités des soins, se répartissant sur une grille suffisamment souple pour s'intégrer dans le tissu urbain le plus serré. Comme dans la Cité universitaire, les cellules (les chambres de malades), groupées au niveau supérieur, sont éclairées par le

Musée d'Ahmedabad - 1956-1957.

Musée d'Art occidental moderne à Tokyo - 1957-1959

haut. Le « retournement du plan » n'aboutit pas seulement au renversement de la pyramide formée par chaque unité, qui repose au sol sur sa pointe, mais encore à la suppression même de l'enveloppe. Si l'apesanteur n'est pas exprimée de façon aussi directement lisible qu'au Weissenhof ou à la villa Savoye, le principe n'en est pas moins conservé et des conséquences nouvelles en sont tirées, toujours en vue d'une maîtrise plus complète et plus souple des trois dimensions de l'espace.

L'intérêt que le Musée à Croissance Illimitée présente pour l'intelligence de la ligne de recherches de Le Corbusier ne tient pas seulement à la netteté avec laquelle, du principe de l'architecture suspendue, il dégage celui de structures continues et variables : le projet représente aussi un cas-limite de traitement du plan en fonction des déplacements du spectateur, en fonction du mouvement. L'intuition qui permet à Le Corbusier de faire table rase de la notion classique de salle et de traiter le musée comme un pur cheminement, jalonné de rencontres qui sont autant d'« événements » nourrissant la « méditation », ne pouvait naître que d'une pensée toute dominée par le souci des circulations, c'est-à-dire des relations et des échanges à l'intérieur de l'organisme architectural. Une telle préoccupation devait naturellement se traduire, au niveau de l'urbanisme, par la recherche de continuité et de classement des circulations. Et, dans le domaine de l'architecture même, c'est la solution donnée au problème des circulations qui donne la clé de chacun des principaux projets de Le Corbusier.

Dans les grands édifices de la vie publique se posent à la fois des problèmes d'écoulement de masses humaines plus ou moins considérables, et d'expression symbolique de ces mouvements ;

les solutions, toujours renouvelées, sont parfois saisissantes, comme dans le projet de Palais des Soviets ou, trente ans plus tard, dans celui d'église pour Firminy. A ces données, le Parlement de Chandigarh ajoutait l'obligation d'une subtile différenciation hiérarchique des circuits (ministres, députés, visiteurs, employés, etc.) : le réseau qu'y développe Le Corbusier annonce celui, encore plus complexe, des circuits indépendants à l'Hôpital de Venise.

Dans les projets pour les secteurs secondaire et tertiaire, l'accès aux postes de travail, les circulations intérieures du personnel et des marchandises donnent lieu à des recherches dont l'intérêt dépasse le plan des simples techniques d'organisation (Rentenanstalt, Usine verte, Centre électronique Olivetti). Dans les groupements multicellulaires d'habitat collectif, le problème des circulations intérieures se pose avec plus d'acuité encore : ce sont elles en effet qui déterminent les rapports de voisinage, les relations de la cellule et de ses « prolongements », de l'individuel et du collectif. C'est à La Tourette que Le Corbusier a poussé le plus loin la différenciation des « conduits » classés suivant leur fonction dans la vie communautaire : couloirs de simple desserte des cellules, atrium des rencontres, accès processionnel à l'église, promenoir de méditation solitaire sur le toit. Mais c'est aussi sur l'articulation des circulations qu'il définit l'Unité d'habitation : rues intérieures défilées aux vues, drainage vertical rapide et, sur le toit, piazza des contacts et d'éventuelles activités collectives.

Projet pour le Palais des Soviets à Moscou - 1931 :

Plan général et maquette de l'ensemble des bâtiments. ▶
Croquis d'étude. ▶

Le parti liant les différents bâtiments est rapproché de l'unité qui avait frappé Le Corbusier à Pise dans la distribution du baptistère; de la cathédrale et de la tour - 4 juin 1934.

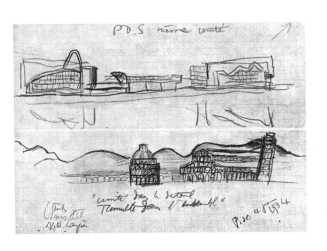

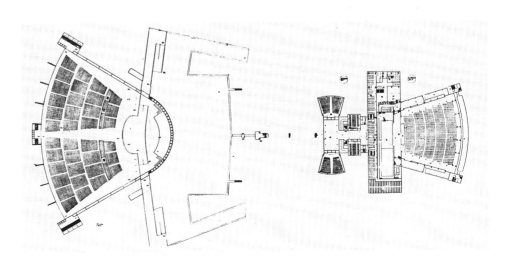

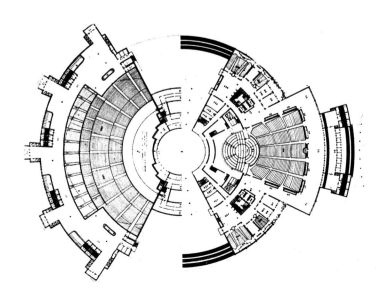

Walter Gropius (1883-1969) - Maquette et plan - 1931.

Page 119 :
Naum Gabo (1890-1977) - Esquisse et plan - 1931.

Page 120 :
Erich Mendelsohn (1887-1953) - Maquette et plan. 1931.

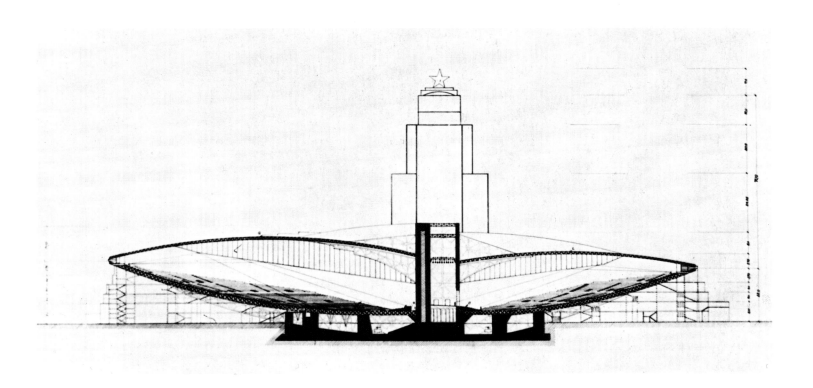

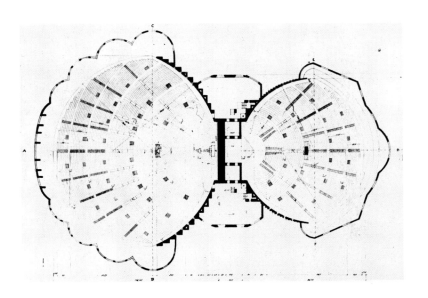

119

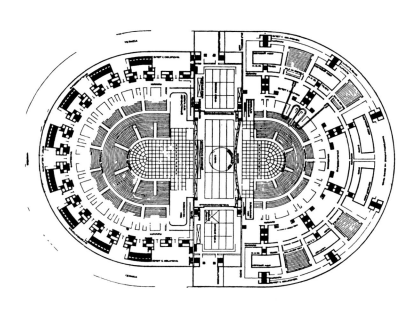

Le projet de construction d'un Palais des Soviets apparaît dans l'histoire de l'architecture de l'URSS dès le lendemain de la Révolution. La Tour de Tatlin (voir page 56), de 1919, qui devait mesurer 600 m de haut et être partiellement mobile autour d'un axe oblique, en représente une première approche visionnaire, techniquement et économiquement irréalisable à cette date. Mis en sommeil, puis repris plusieurs fois par la suite, le projet passe, douze ans plus tard, en 1931, au premier plan de l'actualité internationale, lorsqu'il fait l'objet d'un concours ouvert aux architectes du monde entier. Le concours soulève un intérêt considérable chez les représentants de toutes les tendances, et donne lieu à une confrontation passionnante. On sait que le prix fut finalement attribué, en 1934, au très médiocre envoi d'une équipe académique russe.

De Perret à Gabo, de Poelzig à Ginzburg, les projets expriment évidemment des partis très divers. Certains toutefois, et parmi eux les plus significatifs, présentent dans leur ordonnance générale des similitudes assez marquées pour qu'il soit possible de définir avec une précision suffisante les différences d'attitude qu'ils expriment d'autre part: ainsi, entre autres, ceux de Gropius, de Mendelsohn, de Le Corbusier et de Gabo (ce dernier n'a pas été présenté officiellement et est resté à l'état d'esquisse).

Ces quatre projets ont en commun la disposition des deux grandes salles d'assemblée, opposées tête à tête. Chacune de ces salles ayant la forme d'un segment de cercle, l'ensemble de la composition s'inscrit approximativement, en plan, dans la circonférence. C'est le projet de Gropius qui se rapproche le plus de cette forme idéale, dont on sait quel rôle elle a joué, en combinaison avec le carré et le triangle, dans la pédagogie élémentariste du Bauhaus; cependant, c'est plutôt à la tradition classique que fait penser la virtuosité avec laquelle Gropius emboîte les uns dans les autres les éléments de son plan. Mendelsohn au contraire part du volume, et coiffe tout l'édifice d'une énorme calotte en demi-sphère, qu'il recoupe par un prisme posé sur tranche, perpendiculairement à l'axe sur lequel s'alignent les deux salles : il compte évidemment sur les déformations optiques pour donner au volume composite ainsi constitué, cette

« dimension infinie » dont il avait déjà exprimé l'obsession dans ses dessins des années de guerre. Gabo a lui aussi recours aux coques, mais il les retourne comme des vasques qu'il dispose symétriquement de part et d'autre d'une tour-signal, formant axe vertical. Bien que les formes qu'il emploie soient d'esprit nettement constructiviste, le projet de Gabo, comme celui de Mendelsohn, semble inspiré de ce motif expressionniste de la Stadtkrone que Bruno Taut avait lancé au lendemain de la guerre et que l'on retrouve dans maintes conceptions monumentales des architectes modernes de l'entre-deux guerres, en Europe centrale et orientale.

Si différents que soient les langages plastiques qu'ils emploient, ces trois remarquables projets ont donc en commun la recherche d'une unité immédiatement perceptible de la composition, de la continuité et de la lisibilité du contour. C'est par la cohésion, voire la densité du bloc plastique formé par l'imbrication des volumes que l'édifice acquiert une signification monumentale. Il n'en est pas de même du quatrième projet, celui de Le Corbusier, à propos duquel on ne saurait évidemment parler d'unité, de synthèse de la forme, et qui semble nier l'idée même d'édifice. Les volumes ne sont pas seulement décomposés suivant leurs fonctions, à la manière du constructivisme : ils sont littéralement démantelés, répartis dans l'espace sur un plan éclaté, qui ne s'inscrit dans la mémoire que comme un mouvement ou un rythme. « Signifier par l'art la conquête épique des temps nouveaux », écrivait Le Corbusier. Il semble que ce soit à la foule, héroïne de cette conquête et dont les mouvements peuvent se déployer dans un jeu de circulations d'une remarquable ampleur, que Le Corbusier, dans l'esprit des célébrations révolutionnaires de 1918 ou du cinéma soviétique contemporain, ait laissé le soin de créer cette unité que les autres projets cherchent à manifester par le jeu même des formes de l'architecture. La « machinerie » dont la critique traditionaliste s'est plu à dénoncer l'inhumanité fait ainsi plus de place à l'homme que d'autres compositions moins agressivement constructivistes. On notera d'autre part que Le Corbusier s'abstient de substituer au mouvement des masses humaines le mouvement de la machine, comme l'avait fait Tatlin.

Du souci constant d'assurer de la manière la plus exacte le jeu des relations intérieures et extérieures qui caractérise chaque édifice, Le Corbusier a tiré un langage plastique du mouvement d'une richesse apparemment inépuisable: « conduits » (La Tourette, Chandigarh), escaliers (maison La Roche, Pavillon Suisse, rue Nungesser-et-Coli, Marseille), rampes intérieures (villa Savoye, Chandigarh) et extérieures (Harvard, Ahmedabad, Strasbourg), traités en « objets » de plus en plus denses, scandent d'accents inoubliables toutes les « promenades architecturales » qu'il a imaginées.

La nouveauté de ce langage a provoqué, chez d'innombrables imitateurs, la floraison d'une véritable rhétorique non du mouvement, mais du mouvementé: n'étant pas issues d'une authentique intuition de la mobilité de l'espace, mais restant des entités plastiques indépendantes combinées de l'extérieur, ces formes donnent presque toujours une intolérable impression de verbalisme, et ont provoqué un durable malentendu sur le sens de la recherche architecturale de Le Corbusier depuis 1950: recherche de mobilité et de souplesse du développement spatial, et non affirmation monumentale de la forme isolée.

Si le projet de Musée à Croissance Illimitée dérivait de l'extrapolation de l'idée de plan libre telle que l'avaient réalisée les « machines à habiter », il semblait en revanche mettre fin de façon définitive à la recherche d'unité de l'enveloppe « lisse et unie comme un coffre » dans lequel Le Corbusier avait jusqu'alors cherché à contenir l'expansion de ce plan. Unité spatiale élémentaire, virtuellement multipliable, la « machine à habiter » devait se plier à la loi de la série et « rentrer dans le rang ».

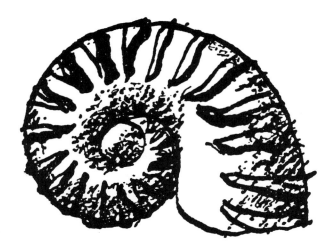

Croquis de coquillage.

quelconque, un principe aux multiples possibilités d'application ; il donne en effet à l'idée de plan libre une dimension nouvelle, la dimension temporelle : l'agglutination de cellules préfabriquées (« un poteau, une poutre, un élément de plafond, un élément d'éclairage diurne, un élément d'éclairage nocturne »), détachées du sol et recevant le jour par le haut, permet en effet la « croissance illimitée » ; la liberté devient liberté d'évolution. Cependant, bien que l'enveloppe qui contenait jusqu'alors les « organes » ait complètement disparu, l'« unité » subsiste sous son aspect, comme eût dit Le Corbusier lui-même, « biologique », le développement des spires restant organiquement lié à un centre ou foyer unique.

Il n'en est pas de même au Pavillon Suisse, encore moins dans le projet pour le Palais des Soviets, dans lesquels les volumes s'opposent dans une liberté apparemment totale. C'est une autre dimension de la liberté que Le Corbusier explore ici, celle de ce qu'en terme d'École on appelle la composition. Les « organes » qui correspondent aux différentes fonctions étant traités en unités plastiques indépendantes, l'architecture se développe en site, en paysage de plus en plus complexe. Le « dedans » devient un « dehors ». Amorce du glissement de l'architecture vers l'urbanisme.

C'est à partir de la recherche d'une nouvelle organisation de la cellule d'habitation que, dans les années 20, s'était développée l'idée de plan libre : il s'agissait de donner à l'homme le maximum de liberté dans l'espace minimum que lui impartit la société moderne. A partir de 1930, après le brillant prélude que forment les plans pour la SDN et la « Cité Mondiale », Le Corbusier transpose aux grands édifices de la vie collective l'expérience qu'il a acquise au niveau de l'« unité de vie » individuelle. Trois grandes études, à peu près contemporaines, marquent ce passage : deux projets, l'un pour un Musée d'art moderne, l'autre pour le Palais des Soviets, ainsi que le Pavillon Suisse à la Cité universitaire de Paris.

Le projet de Musée d'art moderne manifeste avec éclat la rigueur logique et la richesse d'invention avec lesquelles Le Corbusier sait dégager, d'un programme architectural

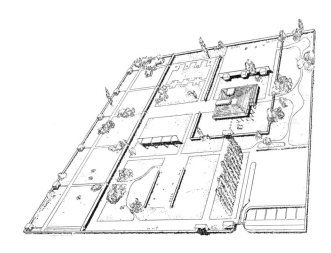

Maquette du Musée à Croissance Illimitée - 1931.

Projet de Musée à Croissance Illimitée - 1931.

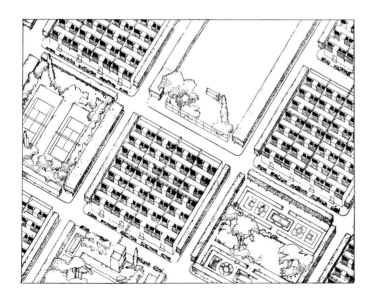

Projet pour une Cité universitaire - 1925.

De la Cité universitaire en alvéoles de 1925 à l'Hôpital de Venise de 1965 en passant par le projet de Musée sans cesse repris à partir de 1930, court une ligne directe de filiation : exemple, au plan des grandes constructions, de ce processus d'invention continue par enrichissements successifs de l'intuition première qui caractérise la recherche créatrice de Le Corbusier. Des principes définis à propos de programmes formulés de façon très générale (la Cité universitaire, le Musée) finissent ainsi par donner la solution exacte au problème que pose un cas très particulier, un site unique, dont les exigences se combinent avec celles d'un programme complexe, très différent de ceux qui ont fourni l'occasion des premières recherches. Mais cette solution elle-même, loin d'être un aboutissement final, ou une application casuelle dénuée de portée générale, ouvre au contraire de nouvelles perspectives — que Le Corbusier, dans le cas précis de l'Hôpital de Venise, n'a plus eu le temps d'explorer lui-même.

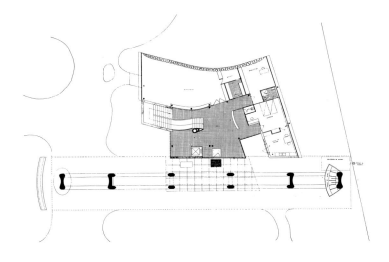

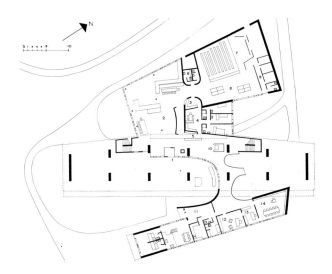

La confrontation des plans du rez-de-chaussée du Pavillon Suisse et de la Maison du Brésil, qui lui est étroitement apparentée, d'une part, et celui de l'Hôpital de Venise, de l'autre, fait ressortir l'opposition existant entre les deux usages que Le Corbusier fait, dans les grandes constructions, de la liberté du plan : dans les deux pavillons de la Cité universitaire, un équilibre dynamique reposant sur le contrepoint de masses plastiques fortement diversifiées, disposées sans référence à aucune grille ordonnatrice ; à Venise, expansion horizontale, en tache d'huile, mais contrôlée par une trame modulaire fixant les directions et les rythmes suivant lesquels se fait l'agglutination d'unités presque standardisées. On notera en outre l'intérêt accru que présentent les pilotis dès que doivent être mis en place des volumes occupant des surfaces importantes : non seulement tout effet d'écran, toute canalisation linéaire des circulations est supprimée, mais un paysage architectural d'une extrême richesse peut être créé, par des contrastes de vides et de pleins, d'ombres et de lumières, au niveau de l'œil du promeneur. Moyen singulièrement efficace de caractériser visuellement des itinéraires urbains.

Pavillon Suisse, Cité universitaire à Paris,
plan du rez-de-chaussée - 1930-1931.

Pavillon du Brésil, Cité universitaire à Paris,
plan du rez-de-chaussée - 1957-1959.

Projet de l'Hôpital de Venise,
vue en survol de la maquette - 1965.

Du projet quelque peu romantique de centre de pèlerinage à la Sainte-Baume, on retiendra, plus que l'esquisse d'une basilique souterraine, une étude d'« habitat permanent » à implanter à flanc de montagne, étude développée l'année suivante sur un programme d'habitat de vacances qui aurait dû être réalisé à Cap-Martin (projets « Rob et Roq », non exécutés). Dans un cas comme dans l'autre, il s'agissait d'adapter à un site en forte pente, et dont la ligne devait être respectée, le système d'habitat collectif découlant des principes formulés à propos des immeubles-villas, et appliqués à l'Unité d'habitation de Marseille, alors en chantier : isolation visuelle et acoustique totale des cellules et des circulations, « conditions de nature » (espace, soleil, verdure), services communs développés.

Près de vingt ans plus tôt, Le Corbusier avait déjà montré, avec les gigantesques immeubles-viaducs qu'il avait imaginés dans ses plans d'urbanisme pour Rio de Janeiro et pour Alger (cf. pp. 178-179) que, s'il entendait ne pas transiger sur ces principes, la forme de l'« instrument » dont il se servait pour les mettre en œuvre pouvait différer considérablement du schéma théorique qu'il en étudiait à la même époque dans la Ville Radieuse (cf. pp. 166-168). Dans les projets pour

la Sainte-Baume et pour Cap-Martin, le souci d'adaptation au site entraîne beaucoup plus qu'une transformation de l'instrument architectural, il aboutit à l'abandon de l'idée même de forme, au passage à une architecture « informelle ». Non seulement le grand collectif vertical, opposant sa masse prismatique au caprice incontrôlé des formes naturelles, fait place à une structure en nappe qui se soumet au contraire étroitement à celles-ci, mais ni les dimensions (c'est-à-dire le nombre de cellules rassemblées en une grappe), ni l'articulation interne de cette structure ne sont déterminées à l'avance, ou reprises d'un projet à l'autre. Cette souplesse assure à la cellule une autonomie à ce point marquée qu'à propos de groupements de ce type on ne parle plus d'habitat collectif, mais semi-collectif.

Il est caractéristique de la logique ou, si l'on préfère, des contradictions de Le Corbusier, que l'invention des groupements « en croûte » intervienne au moment même où, en réponse aux attaques déclenchées contre l'Unité de Marseille, il entreprend de justifier par une généralisation catégorique la formule du grand collectif vertical. L'éclat de la polémique qui se déchaîne autour de ce qui représente l'aboutissement, la conclusion d'une recherche remontant à vingt-cinq ans et qui n'a pu encore être soumise au contrôle de la réalisation, a fait méconnaître l'importance d'études, restées à vrai dire inédites pendant plusieurs années, qui non seulement ouvrent de nouvelles perspectives, mais permettent aussi de faire un point plus exact de l'état de la pensée architecturale de Le Corbusier à cette date.

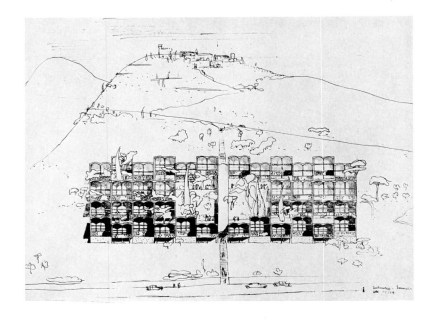

Par la suite, dans les projets d'habitat collectif et de bureaux, Le Corbusier soulignera l'unité du prisme résultant de la répétition des « carrées » individuelles (Le Corbusier trouvait dans cette désignation méridionale de la chambre une confirmation populaire de la « loi de l'angle droit »). Allongé en barre au Pavillon Suisse, dans les Unités d'habitations, au Secrétariat de Chandigarh, dressé en tour dans la maquette pour l'ONU ou dilaté en rhomboïde sous la pression des circulations intérieures, comme dans le projet pour la Rentenanstalt et les différentes versions du gratte-ciel pour Alger (l'exemple n'en est pas passé inaperçu : la Tour Pirelli, à Milan, est là, parmi tant d'autres, pour en témoigner), le prisme semble s'imposer définitivement pour tous les édifices multicellulaires : seul le jeu des proportions détermine son équilibre.

Mais Le Corbusier se garde bien de faire entrer dans le prisme tout ce qui, dans ces programmes même, n'est pas répétitif. Le Pavillon Suisse donne le premier, et peut-être le plus parfait exemple, d'une formule qui devait connaître un succès mondial. Au « coffre » du pavillon des chambres, « répétition de carrées », détaché du sol par les pilotis, s'opposent les formes souples des locaux hors série : réception, réunion, logement du directeur, se développent librement au rez-de-chaussée. La tour de l'escalier elle-même est projetée à l'extérieur du prisme — solution qui permettra, à Chandigarh, de rompre la monotonie de la longue façade ouest du Secrétariat. A l'asile de la rue Cantagrel, autre programme d'habitat collectif, les volumes contrastés de la réception viennent de même se placer devant le pan de verre du bâtiment des dortoirs.

Dans le projet le plus spectaculaire des années 30, le rapport entre le prisme dominateur et les volumes secondaires libres est cependant renversé. Le programme du Palais des Soviets donnait en effet plus d'importance aux organes de la vie collective (salles d'assemblée et circulations) qu'aux éléments multicellulaires (bureaux). L'esthétique mécanicienne s'y manifeste dans une solution *all out* qui met à nu tous les organes, modelés uniquement par les lois de la dynamique des fluides (circulations) et de l'acoustique (salles), puis les assemble comme ceux d'un moteur. Comparés à cette gigantesque machinerie, les projets des autres concurrents, et même le Centrosoyus, articulé pourtant comme une belle pièce

Croquis de voyage - 1908?

de mécanique, que Le Corbusier conçoit et réalise presque simultanément, donnent une impression de réserve et de discipline néo-classiques. On notera toutefois que Tatlin, lorsqu'il avait traité le même programme, s'était souvenu de la Tour Eiffel, alors que c'est au Campo Santo de Pise que se réfère expressément Le Corbusier.

Cette recherche d'une « solution synthétique » par assemblage d'« organes fixés indépendamment les uns des autres » s'inscrit évidemment dans la ligne de pensée qui avait déterminé la conception de la « machine à habiter ». L'attitude analytique qu'elle présuppose devait normalement aboutir à mettre en question le prisme lui-même.

Dès 1933 des études d'habitat linéaire en gradins (lotissement Durand, pour Alger) en préparent l'éclatement; dans les projets de l'immédiat après-guerre (Sainte-Baume, Rob et Roq), chaque « carrée » reprend sa liberté, les cellules s'agglutinent en « croûte » informe sur la pente. On pense certes à la Cité universitaire de 1925, mais ici toute détermination formelle ou dimensionnelle est abandonnée. Le groupement peut croître par prolifération libre, sans avoir à respecter aucune enveloppe. Le Corbusier n'a pu réaliser lui-même aucun de ces projets, mais les nombreuses applications qui ont été faites, depuis quinze ans, de la solution alvéolaire pour l'habitat en gradins (naturels ou artificiels) en ont montré la fécondité. A côté et indépendamment de l'Unité d'habitation ces projets définissent un type d'habitat semi-collectif aux possibilités immenses, et dont il convient de porter la première exploration au crédit de Le Corbusier.

On notera que les années 1950-1965, qui, avec la décennie 1925-1935, ont été chez Le Corbusier celles de plus riche invention architecturale, ont vu, en ce qui concerne les plans, le développement de thèmes très divers : retour à l'unité du carré à La Tourette, à Ahmedabad, à Strasbourg, voire à l'église de Firminy, mais surtout au Palais de l'Assemblée de Chandigarh, qui se situe à cet égard exactement à l'opposé du Palais des Soviets; décomposition du volume, à la Maison du Brésil et au Centre Olivetti; structures alvéolaires enfin, à l'Hôpital de Venise et, selon toute vraisemblance, au projet pour le Musée du XXe siècle à Nanterre, à peine esquissé à la veille de la mort de Le Corbusier. Suivant les exigences du programme et de l'inscription dans le site, Le Corbusier imbrique les « organes » dans l'unité d'un bloc, les individualise en « objets plastiques » que lient de rigoureux rapports de proportions, ou laisse les cellules proliférer dans une apparente liberté.

Aspect le plus frappant de la révision du langage plastique au cours des années 30, le brise-soleil vient s'ajouter aux « cinq points » de 1925 pour donner la « coupe salvatrice » que l'on retrouve, avec des variantes, dans presque tous les projets postérieurs à 1933 : les écrans blancs et les pans de verre, tendus comme une pellicule diaphane autour des « organes » de la machine à habiter, disparaissent derrière un masque de lames de béton perpendiculaires au plan de la façade. L'enveloppe semble perdre toute transparence, la façade toute liberté. Si accusé que soit le caractère plastique de certains brise-soleil — ainsi à la partie médiane du Secrétariat de Chandigarh — il compte moins que sa perméabilité et sa faculté de réagir aux variations de la lumière. Le Corbusier traite le brise-soleil à la fois comme un prolongement des volumes intérieurs, qu'il ne protège pas seulement contre le rayonnement solaire, mais aussi contre un contact trop brutal avec le dehors, et comme une

Escalier intérieur de l'appartement de Le Corbusier, 24, rue Nungesser-et-Coli à Paris - 1933. (Photographie prise du vivant de l'architecte)

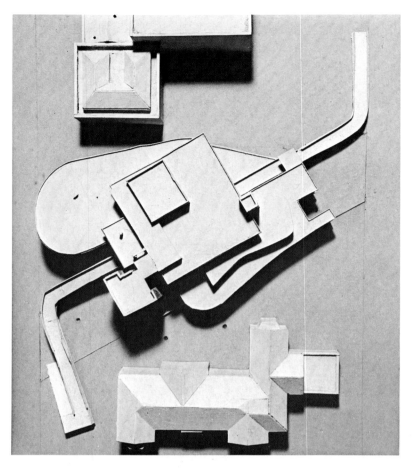

Le Secrétariat à Chandigarh, les rampes vues du toit-terrasse. ▶
1958.

◀ Centre d'art visuel de l'Université Harvard,
Cambridge (U.S.A.),
vue à vol d'oiseau de la maquette montrant le parti adopté
pour la circulation.

Plan du Secrétariat à Chandigarh, montrant le parti adopté
pour les rampes projetées à l'extérieur du prisme du
bâtiment.
▼

Le Corbusier ne se lassait pas d'admirer la diversité des dispositions imaginées par les architectures populaires pour résoudre le problème du passage d'un niveau à un autre, problème sur lequel a si souvent achoppé l'architecture savante. Parce qu'il est ménager de l'espace, mais aussi parce qu'il enrichit la « promenade architecturale » d'un mouvement tournant d'un grand intérêt, Le Corbusier donne la préférence à l'escalier à vis, dont il a multiplié les interprétations très libres: une des plus souples est sans doute celle de l'escalier intérieur de son propre appartement à la rue Nungesser-et-Coli à Paris. Il évite en revanche les volées droites, et les remplace par des rampes en pente douce, qui créent de niveau à niveau un mouvement glissant presque insensible. Il faut noter en outre qu'en dehors des rampes proprement dites les lieux de passage ont souvent, dans l'architecture de Le Corbusier, un sol en très légère déclivité. Ni la photographie, ni les plans à petite échelle ne rendent compte de cette disposition, artifice de correction optique sans doute, mais aussi moyen efficace de diversifier l'expé-·rience musculaire de la promenade architecturale.

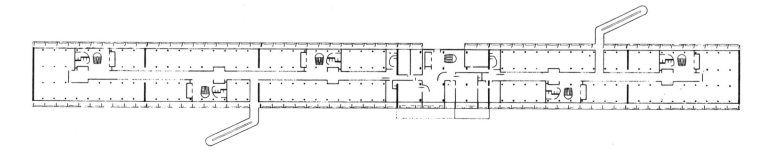

pénétration de l'espace extérieur dans la masse même de l'édifice, pénétration qui permet à son tour d'amortir, sans l'affaiblir, le choc du volume et de la lumière; dans les édifices multicellulaires, dans lesquels il se forme en trame régulière, le brise-soleil devient ainsi l'instrument d'une paradoxale restauration de la surface. Sa trame lui permet en effet de capter la lumière avec souplesse et en même temps de la répartir avec régularité: la surface restituée dans son unité, mais devenue poreuse, absorbe et renvoie la lumière en changeant constamment d'aspect suivant les heures du jour et les déplacements du spectateur; elle retrouve ainsi, dans un langage plastique sans doute différent, la mobilité et la transparence de la membrane puriste. Lorsque, comme dans les loggias de Marseille, les faces latérales des lames verticales sont colorées, ou bien lorsque ces lames, comme à Ahmedabad, à Harvard ou au Parlement de Chandigarh, sont disposées obliquement par rapport au pan de verre, l'effet d'instabilité est assez puissant pour animer des volumes qui, par le simple cubage de matériau mis en œuvre, semblent exclure toute idée de mobilité ou de métamorphose. Le «jeu des formes sous la lumière» y est réalisé de la façon à la fois la plus littérale et la plus sensible. C'est uniquement par la lumière, et par le mouvement de la lumière, que vivent les formes, et que par elles vit l'espace.

◄ *Couvent Sainte-Marie-de-La-Tourette à Eveux, galerie menant à l'église, avec pan de verre ondulatoire - 1956-1959.*

Couvent Sainte-Marie-de-La-Tourette à Eveux, couloir. ► *1956-1959.*

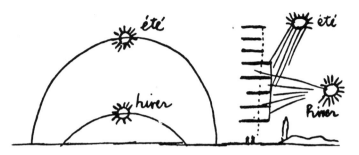

Croquis de la « coupe salvatrice », montrant la disposition des brise-soleil par rapport au parcours du soleil.

Le brise-soleil est généralement tenu pour l'apport le plus caractéristique de l'architecture des vingt dernières années de Le Corbusier, de même qu'on voit dans le pilotis le symbole de l'attitude révolutionnaire de ses débuts. On a vu que le brise-soleil est complémentaire, ou plus précisément issu de la façade libre dont, pour Le Corbusier, il fait partie intégrante : en liaison avec le pan de verre, il donne la « coupe salvatrice ». Pas plus que le pilotis, il n'est une forme définie une fois pour toutes, et ses métamorphoses, au gré des exigences changeantes des programmes et des lieux, comptent pour beaucoup dans le renouvellement de ce que l'on a improprement appelé le « style » de Le Corbusier. Du « parasol » de la villa de Carthage à celui du Palais de Justice de Chandigarh, du brise-soleil lamellaire de Rio au « pan de verre ondulatoire » de La Tourette, la distance est certes considérable, mais le mouvement, d'une logique rigoureuse. De même que le pilotis, le brise-soleil devient l'instrument d'une transposition de plus en plus poétique de sa fonction primitive : le mur-lumière de Ronchamp, le pan de verre ondulatoire créent entre la vie de l'espace intérieur et le déroulement temporel du cycle solaire une liaison de même nature que celle qu'établissait, dans l'architecture médiévale, la nappe de lumière colorée du vitrail.

Ministère de l'Education nationale, Rio de Janeiro, brise-soleil, façade nord - 1936.

Unité d'habitation à Marseille, les loggias - 1945-1952. ▶

Eglise du couvent Sainte-Marie-de-La-Tourette à Eveux, l'autel du Saint-Sacrement - 1956-1959.

◄ *Page 136 : Palais de Justice de Chandigarh, brise-soleil, façade est - 1956.*

◄ *Page 137 : Chapelle de Ronchamp, vue intérieure du mur sud (« mur-lumière ») - 1950-1953.*

Si vigoureusement qu'il y ait affirmé le caractère mécanicien des formes employées, Le Corbusier s'était refusé à traiter le Palais des Soviets sous l'angle de la figuration symbolique ; il y avait vu un lieu de rassemblement de responsables, se réunissant pour prendre des décisions importantes et dont l'architecture devait accompagner et faciliter l'action. De même, il n'aborde pas le programme du monastère de La Tourette comme un prétexte à exprimer une idée abstraite, une représentation mystique ou à réaliser une forme ou un système de formes prédéterminées. Pour lui, le monastère est une machine à faire vivre ensemble, en une communauté soumise à une règle, une centaine d'hommes se préparant, par la méditation et l'étude, à l'action. La règle lui fournit la donnée essentielle du programme : l'alternance équilibrée des temps de travail et de prière, de solitude et de rencontre. De là l'extrême importance d'une exacte définition des rapports entre les lieux de la retraite individuelle et ceux de la célébration collective, « des contacts et des circuits » sur lesquels s'établit la vie de la communauté. Avec le souci de l'inscription dans le site, ceux-ci ont représenté l'élément déterminant pour le choix d'un parti qui n'est qu'en apparence monumental et clos.

Couvent Sainte-Marie-de-La-Tourette à Eveux, façade ouest et sud - 1956-1959.

Chapelle Notre-Dame-du-Haut à Ronchamp, façade est et chœur extérieur - 1950-1953.

140

Qui était donc Le Corbusier architecte? Ni peintre puriste à Poissy, ni poète baroque à Ronchamp. Choix et renouvellement de l'« outillage plastique », loin de menacer la permanence du thème fondamental de la liberté du plan et de l'enveloppe (« plan libre », « façade libre »), en apparaissent au contraire comme des conséquences. La fluidité et la continuité de l'espace sont certes lieux communs de la pensée architecturale au XXe siècle; mais ce qui, à l'intérieur de ce mouvement, met à part la recherche de Le Corbusier et lui donne une tension dramatique qui n'appartient qu'à lui, c'est la vigueur, la violence presque michelangelesque avec laquelle cette approche dynamique de l'espace suscite des formes si fortement caractérisées qu'elle semble devoir s'y bloquer, mais que toujours finalement elle rejette et dépasse. En effet, si la concrétion de la forme plastique a, chez Le Corbusier, le caractère d'une véritable fatalité, la volonté chez lui n'est pas moins constante de ne traiter la forme que comme un « outil »: si

« L'architecture, qui est mathématique immanente, dans sa substance et dans sa pâte, possède le rayonnement que projettent les fonctions des courbes et des droites. Autour de l'édifice, dedans l'édifice, il est des lieux précis, lieux mathématiques, qui intègrent l'ensemble et qui sont des tribunes d'où la voix d'un discours trouvera son écho tout autour. Tels sont les lieux de la statuaire. Et ce ne sera ni métope, ni tympan, ni porche. C'est beaucoup plus subtil et précis. C'est un lieu qui est comme le foyer d'une parabole ou d'une ellipse, comme l'endroit exact où se recoupent les plans différents qui composent le paysage architectural. Lieux porte-voix, porte-paroles, haut-parleurs. »
Ainsi Le Corbusier voyait-il Ronchamp — en 1935.

Chapelle
Notre-Dame-du-Haut
à Ronchamp,
angle sud-est.
1950-1953.

*Pavillon Philips
à l'Exposition
universelle de
Bruxelles - 1958.*

vigoureusement qu'il l'articule, la forme n'est jamais moyen d'expression par elle-même, mais instrument d'invention de l'espace et fruit de celui-ci.

Cette singulière tension entre la forme et le mouvement de l'espace est déjà sensible dans les maisons des années 20. Dans les créations postérieures à 1950, elle provoque les mutations du langage plastique — par exemple des plans orthogonaux aux surfaces gauches librement articulées — qui ont fait croire, à propos de Ronchamp ou du Pavillon Philips en particulier, que Le Corbusier répudiait la stricte discipline dont l'angle droit était devenu le symbole : il ne s'agissait en réalité pour lui que de créer l'enveloppe la plus souple et la plus capable d'épouser le mouvement d'un espace intérieur fortement caractérisé.

On notera qu'à Ronchamp comme au Pavillon Philips la forme de l'enveloppe est déterminée par des considérations « acoustiques » : au sens propre au Pavillon Philips, lieu d'un spectacle audio-visuel total, le *Poème électronique* ; au sens figuré à la chapelle de Ronchamp, à propos de laquelle Le Corbusier a créé l'expression d'« acoustique paysagiste », mais où joue tout autant la volonté de rendre imperceptibles à l'œil, par le jeu des surfaces gauches, les dimensions réelles de la construction, et de susciter, en exploitant au maximum les corrections optiques, un « phénomène d'espace indicible ».

Pas plus qu'une forme isolée, un système d'organisation de l'espace — qu'il affirme le pouvoir ordonnateur de l'angle droit ou qu'il développe dans une apparente liberté des suggestions non euclidiennes — ne représente pour le Corbusier une entité immuable, douée de vertus intrinsèques. Pour autant qu'elles permettent de mettre en œuvre les formes élaborées par le progrès de la « technique libératrice », il ne néglige aucune des hypothèses contemporaines sur la structure de l'espace plastique : du simultanéisme géométrisant du cubisme à l'espace-grille des premiers explorateurs du visuel pur et à la topologie dynamique d'un Delaunay et d'un Kandinsky, Le Corbusier semble les avoir toutes intégrées et vécues simultanément.

De l'architecture à l'urbanisme

La révolution urbanistique seule
instaurera les conditions
d'une révolution de l'art et du logement.

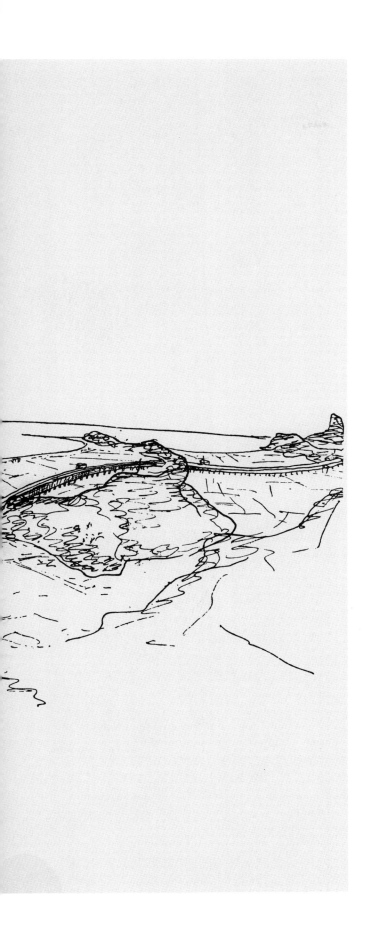

Etude d'urbanisation de Rio de Janeiro.
1929-1930 - dessin à la plume, fragment.

DE L'ARCHITECTURE A L'URBANISME

De la machine à habiter jusqu'au Palais des Soviets, du cabanon de Cap-Martin au Capitole de Chandigarh, d'un programme «élémentaire» de cellule individuelle multipliable à l'infini jusqu'au complexe piranésien dans lequel s'élabore et s'exprime le vouloir de la collectivité, Le Corbusier reste apparemment fidèle à la même méthode de création: «Dans les différentes étapes du projet, dit-il du Palais des Soviets, on voit les organes, déjà fixés indépendamment les uns des autres, prendre petit à petit leur place respective pour aboutir à une solution synthétique.» Quelque vingt ans plus tard, le Centre civique de Saint-Dié rapproche de même, sans les confondre, en un groupement d'une étonnante richesse visuelle, des organes «fixés indépendamment les uns des autres», centre administratif, musée, maison commune, hôtellerie, commerces... Le projet semble illustrer l'application de la même «manière de penser» mécanicienne à une échelle qui n'est plus celle de l'architecture, mais de l'urbanisme.

La machine à habiter résultait de l'assemblage d'«organes» dont Le Corbusier se plaisait à souligner avec quelle exactitude objective étaient définies leurs

◀ *L'Assemblée à Chandigarh, couloir - 1961.*

formes et leurs relations, leurs «contiguïtés» (dans la pratique, l'ouverture des plans et l'invention constante de la forme tempérait heureusement la rigueur de ces «standards»). Or, pour lui, la même méthode serait applicable en urbanisme, non seulement à des ensembles multifonctionnels denses, comme c'est le cas pour le «core» de la ville, mais à la cité tout entière. C'est au niveau de l'architecture que commence l'urbanisme. Pour chacune des fonctions de la ville doit être créé un «organe» ou «outil» approprié: «Les outils de l'urbanisme prendront la forme d'unités architecturales animées chacune d'une rigueur biologique seule capable de répondre aux tâches.» L'exigence de «rigueur biologique» suppose que les «organes», les «standards» soient «ouverts», c'est-à-dire complémentaires les uns des autres et établis à une même échelle, correspondant à un même «ordre de grandeur». Un organe ne fonctionne pas isolément, mais seulement dans le contexte d'un organisme: il ne saurait y avoir d'architecture sans urbanisme. Inversement, pas plus qu'on ne peut concevoir une organisation sans organes préexistants, un urbanisme qui n'aurait pas à sa disposition un «outillage» complet resterait théorique et inopérant; il ne saurait y avoir d'urbanisme sans architecture: «Architecture en tout, urbanisme en tout.»

On notera le rôle que jouent dans cette assimilation de l'architecture et de l'urbanisme, d'une part la métaphore mécanicienne, d'autre part la notion de « standard ». Cette notion concilie pour Le Corbusier l'exigence classique — que l'on retrouve chez Mies van der Rohe — de solutions universelles, avec celle, technique, de normalisation: d'un des « standards » de la machine à habiter, le toit-terrasse, Le Corbusier écrit par exemple: « Evénement d'ordre technique, *par conséquent de valeur universelle...* » L'universalité de la technique, tout au moins à l'échelon des grands programmes de constructions urbaines, permet et justifie l'emploi d'un « outillage standard ».

Dès 1922, le projet d'immeuble-villas, d'où sortira, vingt-cinq ans plus tard, l'Unité d'habitation, fournit un exemple de la façon dont Le Corbusier comprend un outil architectural intégré, « instrument de rénovation urbaine ». Le groupement des cellules en « cité-jardin verticale » étend à l'espace urbain, dans lequel elle prend toute sa valeur, la conquête de la troisième dimension, qui s'affirme simultanément, au niveau de l'architecture, dans l'organisation intérieure des cellules: la cohérence organique de la structure de l'espace architectural et de l'espace urbain est ainsi assurée, toujours sur la base de l'analogie mécanicienne, en même temps que l'indépendance réciproque de l'habitat et des circulations. De plus, les services communs très importants ne doivent pas seulement constituer des « prolongements du logis » déchargeant la cellule d'un certain nombre de fonctions qui peuvent être assurées dans de meilleures conditions sur le plan collectif que sur le plan individuel (laverie automatique, centrale de personnel de service, voire arrosage centralisé des loggias-jardinets...), mais aussi exercer une action rénovatrice sur la structure de la cité elle-même.

Croquis d'études d'après d'anciennes gravures: ▶
situation de l'église Sainte-Justine à Venise
par rapport à la place - 1915?

Camillo Sitte (1843-1903): ▶
Piazza dei Signori et Basilique palladienne à Vicence.
Piazza del Duomo et Piazza del Papa à Pérouse
(en « a » Palais communal).

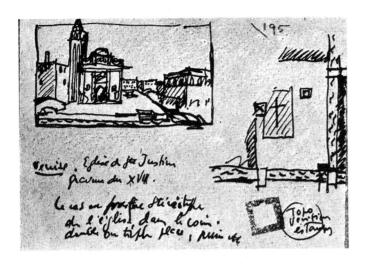

Les penseurs sociaux de la deuxième moitié du XIXe siècle, préoccupés de l'amélioration des conditions de vie des masses laborieuses, avaient élaboré de nombreux programmes pour la construction de logements ouvriers. Aucun d'entre eux ne semble toutefois avoir pris véritablement conscience du caractère spécifique du phénomène urbain dans son ensemble. Ce n'est que vers la fin du siècle que paraissent deux études, très différentes l'une de l'autre, qui proposent de ce phénomène une interprétation globale : l'une, l'ouvrage du Viennois Camillo Sitte : Der Städtebau nach seinen künstlerischen Grundsätzen, se place à un point de vue strictement esthétique, alors que l'autre, le fameux programme d'Ebenezer Howard : Garden Cities of To-morrow, l'envisage sous un angle résolument social. C'est à la lecture de ces pionniers, dont il devait par la suite rejeter violemment les thèses, que semble remonter chez Le Corbusier l'éveil de la réflexion urbanistique.

En Camillo Sitte, il verra par la suite le grand responsable de la vogue internationale de l'urbanisme pittoresque, appliquant à la ville ancienne moribonde, et étendant à la ville moderne pleine d'incertitudes, un traitement purement cosmétique, dans le goût médiéval. Il l'accusera d'avoir, contre toute raison, instauré le culte du « chemin des ânes » : « L'homme marche droit parce qu'il a un but : il sait où il va. Il a décidé d'aller quelque part, et il y marche droit. L'âne zigzague, muse un peu, cervelle brûlée et distraite, zigzague pour éviter les gros cailloux, pour esquiver la pente, pour rechercher l'ombre : il s'en donne le moins possible.

L'homme régit son sentiment par la raison : il réfrène ses sentiments et ses instincts en faveur du but qu'il a. Il commande à sa bête par son intelligence...

Pour produire, il faut une ligne de conduite : il faut obéir aux règles de l'expérience. Il faut penser en avant, au résultat.

L'âne ne pense à rien du tout, qu'à ne pas s'en faire. L'âne a tracé toutes les villes du continent, Paris aussi, malheureusement...

On vient de créer la religion du chemin des ânes.

Le mouvement est parti d'Allemagne, conséquence d'un ouvrage plein d'arbitraire de Camillo Sitte sur l'urbanisme : glorification de la courbe et démonstration de ses beautés inconcurrençables. Preuve en était donnée par toutes les villes d'art du moyen âge : l'auteur confondait le pittoresque pictural avec les règles de la vitalité d'une ville...

Méprise effroyable et paradoxale, au temps de l'automobile. « Tant mieux », me disait un grand édile, « les autos ne pourront plus circuler... »

La rue courbe est le chemin des ânes, la rue droite est le chemin des hommes. »

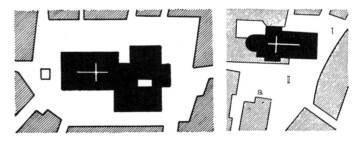

Il n'en est pas moins vraisemblable que c'est de Sitte que Le Corbusier a appris à voir la ville dans son ensemble comme un paysage architectural, comme un site, vision qu'il exercera dès ses voyages de jeunesse et approfondira plus tard systématiquement, par l'étude des collections topographiques de la Bibliothèque Nationale. C'est sans doute aussi Sitte qui a développé en lui le sens de la réalité historique de la ville comme tissu de cheminements — d'ânes et d'hommes. Mais, à la différence de Sitte, Le Corbusier ne verra pas seulement dans ces chemins un enchaînement plus ou moins pittoresque de « tableaux » : ils constituent pour lui l'appareil circulatoire d'un organisme qui ne saurait subsister sans eux.

La dette de Le Corbusier à l'égard des théoriciens de la cité-jardin *est aussi certaine, et non moins ambiguë. Sans doute Le Corbusier se déchaînera-t-il contre le danger de « désurbanisation » que représentent les cités-jardins : elles ne proposent au problème de la ville qu'une fausse solution et conduisent à « un isolement stérile de l'individu » qu'elles maintiennent dans « un esclavage organisé par la société capitaliste ». Autant que contre la « rue-corridor » et le taudis qui en est le corollaire, sa polémique d'urbaniste sera dirigée contre la « grande illusion » du pavillon individuel, dévorateur d'espace et générateur de circulations: à la « cité-jardin horizontale » il opposera dès 1922 le grand immeuble collectif régénéré, « cité-jardin verticale », et aux « services communs démesurés » les « services communs mesurés ». L'immeuble-villas permet de réduire les distances, facilite les contacts sociaux et l'intégration des différentes fonctions urbaines. Mais, que le groupement des cellules soit vertical ou horizontal, c'est toujours de cité-jardin qu'il s'agit, et c'est vers les mêmes « joies essentielles » promises par Howard et ses amis que vogue, au-dessus des arbres de la « Ville verte », le grand vaisseau de béton de l'Unité d'habitation.*

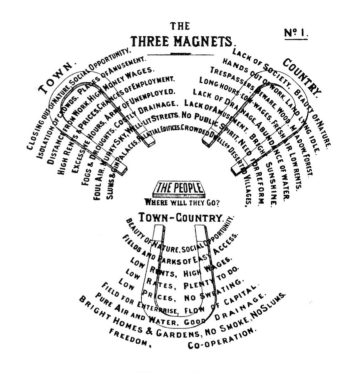

Ebenezer Howard (1850-1928):
« Les trois aimants qui attirent le peuple ».

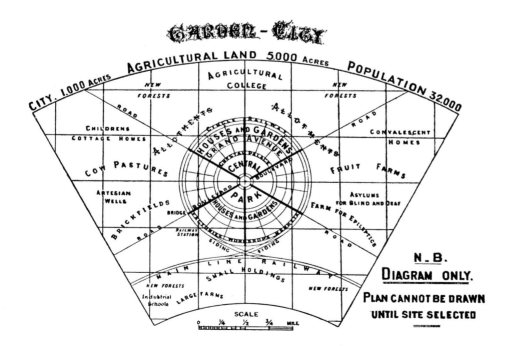

Diagramme d'une cité-jardin avec sa ceinture rurale.

Les rapports entre la Cité Industrielle de Tony Garnier et la Ville Contemporaine de Le Corbusier sont moins ambigus. La Ville Contemporaine doit beaucoup à sa devancière : le zonage fonctionnel, l'indépendance et la continuité des circulations piétonnières en particulier. Elle en diffère radicalement par les dimensions (3 000 000 au lieu de 30 000 habitants) et par le programme (une métropole d'échanges et non un centre de production), mais non par l'esprit ou la méthode. La Cité Industrielle est la première proposition d'urbanisme complète et cohérente que Le Corbusier rencontre sur sa route : elle contribuera de façon décisive à orienter sa « manière de penser l'urbanisme ».

Tony Garnier (1869-1948) - Projet pour une cité industrielle quartier d'habitation et plan d'ensemble du quartier central de la cité - 1901-1904.

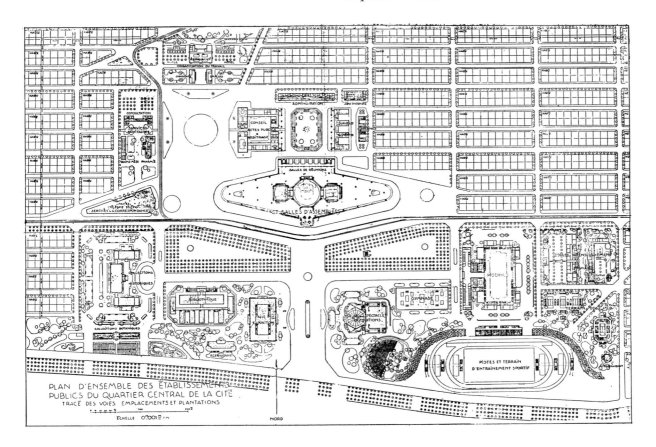

Projet d'immeubles-villas :
a) un immeuble de 120 villas superposées.
b) détail des « lotissements fermés à alvéoles » - 1922.
« Le module habituel des façades (3 m 50) est porté à 6 m, conférant à la rue un caractère d'ampleur tout nouveau. »

Immeuble Clarté (« Maison de verre ») à Genève. ▶
1930-1932. (Photo prise en 1932)

La formule d'habitat collectif proposée par l'immeuble-villas veut combiner les dispositions de la cellule renouvelée, telle que l'a réalisée la maison Citrohan (séjour à double hauteur et jardin suspendu) avec les avantages que procurent des services communs très développés. Plusieurs variantes en ont été étudiées, sur plan ouvert, en redents, ou fermé, se développant autour d'une vaste cour centrale. L'immeuble Clarté est la version réduite d'un projet beaucoup plus vaste (immeubles Wanner) pour Genève. Les appartements sont à deux niveaux, le séjour à double hauteur sur une partie de sa surface. Avec l'asile de la rue Cantagrel, l'immeuble de la rue Nungesser-et-Coli à Paris et le projet Centrosoyus à Moscou, l'immeuble Clarté (dit aussi à Genève « Maison de verre ») est une des constructions les plus largement vitrées de Le Corbusier.

Des coopératives d'achats peuvent par exemple rendre inutiles les Halles centrales... Plus que le détail des dispositifs prévus, compte la volonté de lier concrètement, par un jeu permanent d'échanges, la cellule à la cité, la cité à la cellule: « Architecture en tout, urbanisme en tout. »

L'extrapolation de la notion d'organe au niveau de l'urbanisme a précédé de loin, chez Le Corbusier, l'établissement d'un inventaire précis des fonctions qu'ont à satisfaire ces organes. La fameuse nomenclature de la Charte d'Athènes ne coïncide qu'imparfaitement avec l'« outillage urbain » qu'il a lui-même élaboré. Ses études les plus poussées ne portent en effet, de même que ses grands projets d'urbanisme ne s'articulent, que sur trois fonctions ou groupes de fonctions: l'habitat, la circulation et la gestion (secteur tertiaire et fonction gouvernementale), la production industrielle n'étant véritablement intégrée que beaucoup plus tard, plus tard même que la production agricole. Quant à la « culture du corps et de l'esprit », pour reprendre la terminologie de la Charte d'Athènes, elle a certes fourni à Le Corbusier le thème de projets aussi nombreux que spectaculaires, mais ceux-ci sont loin d'avoir le caractère systématique des études consacrées à l'habitat ou à la circulation par exemple, et ce n'est guère qu'avec le projet pour Saint-Dié que les principaux équipements culturels trouveront une localisation précise dans la ville.

Les « outils » correspondant aux fonctions majeures sont définis avec minutie et sans cesse remis à l'étude. Pour l'habitat, la série de projets de collectifs verticaux qui va des « immeuble-villas », « lotissements à alvéoles », « immeubles à redents » jusqu'aux différentes versions de l'Unité d'habitation ne doit pas faire oublier les recherches poussées dans d'autres directions, habitat linéaire en gradins ou semi-collectifs horizontaux: l'« outillage » mis au point par Le Corbusier ne se limite pas en ce domaine, comme on feint souvent de le croire, à la seule Unité d'habitation: les nombreux architectes le savent bien, qui ont tiré profit de tel ou tel thème d'habitat continu que Le Corbusier lui-même n'avait pas eu l'occasion de développer.

Les études de circulation remontent, elles, au classement encore sommaire, inspiré de Tony Garnier et d'autres précurseurs, que propose la « Ville Contemporaine pour 3 000 000 d'habitants »; elles s'enrichissent et se diversifient ensuite, dans le projet de « Ville Radieuse » et les plans d'urbanisme des années 30, pour aboutir au système complet des « 7 V » appliqué à Chandigarh. Les énormes gratte-ciel cruciformes de la cité des affaires qui forment le centre de la «Ville Contemporaine» évoluent, s'affinent et se précisent par la suite pour aboutir aux deux formules, aujourd'hui classiques, de la tour sur plan en losange (Rentenanstalt, gratte-ciel pour Alger) et de l'étoile à trois branches (« gratte-ciel cartésien »). L'étude des « instruments » de production industrielle est en revanche restée longtemps schématique: on notera surtout la netteté avec laquelle s'affirme, depuis les « ateliers standards » de la Ville Radieuse jusqu'au projet Olivetti, en passant par l'« Usine verte », l'importance donnée au réseau des circulations internes. Quant aux équipements culturels, leur développement est curieusement et significativement inégal: l'humeur de l'homme et de l'artiste s'y joue apparemment de la logique du théoricien. Le musée, entendu non au sens traditionnel de conservatoire

Unité d'habitation à Marseille, façade ouest - 1945-1952. ▶

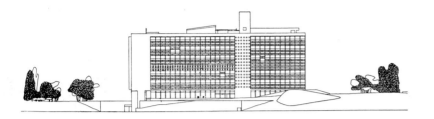

Unité d'habitation à Berlin
réalisée partiellement selon les plans de Le Corbusier.
dessin - 1958.

d'œuvres des arts plastiques, mais comme « musée de la connaissance », centre permanent et encyclopédique d'information audio-visuelle, est l'objet d'une mise au point poussée avec amour. Pour les arts du spectacle, Le Corbusier invente — assez tard — avec la « Boîte à Miracles » et le « Théâtre spontané », des dispositifs originaux. L'expérience du « spectacle magistral de grandeur, d'unité », vécue au Vel ' d'Hiv ', pendant les Six Jours, en compagnie de Fernand Léger, et renouvelée périodiquement des fenêtres mêmes de son appartement qui donnaient sur le Stade Jean-Bouin, lui a inspiré, au temps du Front Populaire, pour le « Centre de réjouissances pour 100 000 personnes », et, dans ses dernières années, pour un stade à Bagdad, des solutions grandioses. Mais on ne peut pas ne pas remarquer l'absence totale d'études sur des programmes d'enseignement : mises à part les « maternelles » des Unités de Marseille et de Nantes, Le Corbusier n'a laissé en ce domaine qu'un projet de Cité universitaire pour Rio, qui est plus un plan d'urbanisme que l'étude d'un problème pédagogique (La Tourette est traitée moins comme une Faculté de théologie que comme une « unité » de vie communautaire) : méfiance

d'autodidacte à l'endroit des « écoles », aversion pour tout savoir livresque et verbal ? « Je dis qu'il faut enlever leurs chaires aux discoureurs, car ils font du bruit, ils retiennent les élans, ils troublent de leurs cancans une journée neuve et limpide. Ils n'ont pas le droit de ternir le ciel, à son aurore. » Le Corbusier avait la rancune tenace. N'est-ce pas le souvenir épouvanté qu'il avait gardé du bazar de Constantinople, exploré vingt-cinq ans plus tôt, qui lui a fait de même omettre d'assigner, dans sa Ville Radieuse, une place au commerce de détail ? « Ils se caseront bien tout seuls », répondait-il, quand on voulait l'intéresser au sort de la « fonction de distribution »...

A partir des études de « rénovation agraire » qui, dans les années 30, viennent compléter les thèses sur la « rénovation urbaine » formulées dix ans plus tôt, Le Corbusier étend progressivement l'application de la même méthode instrumentaliste à l'ensemble des problèmes que pose l'organisation de l'espace occupé par l'homme. La ville n'a pas été seule atteinte par la révolution de la machine, les structures traditionnelles du village en ont été encore plus fortement ébranlées : le paysan est devenu, comme le citadin, membre à part entière de la société industrielle. Pas plus qu'il n'accepte un urbanisme d'« effluves », Le Corbusier ne cède au romantisme du vieux village ; les « outils » qu'il propose pour sa régénération — inspirés des exemples de colonisation rurale observés en Amérique du Sud et en Union Soviétique — sont la « ferme radieuse » et l'organisation coopérative de ce qu'il appellera plus tard l'« unité de production agricole ».

C'est avec le « village coopératif » qu'un établissement humain tout entier est pour la première fois traité globalement comme un « outil », comme un « standard ». Dix ans encore, et dans les « Trois établissements humains » Le Corbusier définira de façon catégorique les trois « standards » de l'« occupation du territoire » dans la civilisation industrielle. La « métropole radio-concentrique des échanges » est le grand centre de décision, d'administration et d'affaires auquel, depuis le projet de 1922, il a donné tous ses soins. La fonction secondaire en est éliminée, qu'assume désormais la « cité linéaire industrielle » s'étendant en mince ruban, de métropole à métropole, le long des grands axes de circulation. Enfin, à l'écart, mais à proximité de ces axes, l'« unité » ponctuelle de « production agricole » grâce à une mécanisation intensive permet à un personnel technique peu nombreux d'exploiter rationnellement les meilleures terres. A ces trois établissements, il convient d'ajouter la « réserve de nature » qui comprendrait quantitativement une très grande partie du territoire et qui ne serait pas vouée à l'abandon, mais aménagée pour les loisirs, la fonction loisir étant, pour Le Corbusier, la seule à laquelle l'espace ne puisse ni ne doive être mesuré.

Entre les articles de *L'Esprit Nouveau* dans lesquels Le Corbusier avait formulé pour la première fois sa théorie du standard et la définition des « Trois établissements humains », vingt-cinq ans se sont écoulés : l'extrapolation a donc été très lente et s'est faite, au fil d'innombrables écrits, conférences, expositions, plans et projets divers, dans un contexte social et culturel qui, petit à petit, s'était radicalement transformé.

La première étude, la « Ville Contemporaine » de 1922, s'enlève sur l'arrière-plan des théories des pionniers du premier avant-guerre (Ebenezer Howard et sa cité-jardin, Camillo Sitte et l'*Art de bâtir les villes*, Tony Garnier et la *Cité Industrielle*) ainsi que des premières expériences allemandes de *Siedlungen*. En réaction contre les solutions des précurseurs, auxquelles il

Unité d'habitation à Nantes-Rezé - 1953.

Unité d'habitation à Briey-en-Forêt - 1959.

*Unité d'habitation à Firminy,
achevée après la mort de Le Corbusier - 1968.*

reproche leur caractère partiel et leur méconnaissance de l'échelle des temps nouveaux, Le Corbusier pose d'emblée, de façon globale, le problème de la grande ville, instrument-maître de la civilisation industrielle en tant que « centre de décision » et milieu de vie de la multitude innombrable : le but de l'étude est de faire ressortir de façon frappante l'indissoluble liaison qui existe entre les problèmes des grandes concentrations d'habitat et de circulation intraurbaine, d'une part, et la définition de l'« ordre de grandeur » de l'outillage à mettre en œuvre, de l'autre.

Dix ans plus tard, lorsque Le Corbusier élabore les planches de sa seconde grande étude théorique — la synthèse didactique de la « Ville Radieuse » — la situation s'est déjà profondément modifiée : en Allemagne, en Hollande, en France, en Union Soviétique, les problèmes de l'habitat pour le plus grand nombre ont suscité de nombreuses études, l'accord s'est fait au sein du mouvement international sur plusieurs thèmes majeurs ; la grande ville en tant que milieu naturel de la civilisation industrielle a trouvé — jusque chez Mondrian — des théoriciens et des défenseurs passionnés. Depuis 1928, les CIAM sont devenus le lieu périodique d'une vaste confrontation à l'échelle européenne. Il semble donc temps de donner une synthèse, dans laquelle l'accent serait mis sur ce qui est apparu comme le résultat le plus important de l'analyse des CIAM : le « classement » de la cité multifonctionnelle par le zonage.

Quant aux travaux de l'ASCORAL (Assemblée de Constructeurs pour une Rénovation Architecturale), dont les « Trois établissements humains » tirent la conclusion, ils se situent dans une perspective de nouveau entièrement transformée, celle de l'immense tâche de reconstruction qui·se présentera au lendemain de la guerre.

Pour Le Corbusier, le problème primordial qui se pose à propos du logis est celui du rapport entre l'individu et la collectivité : aussi le premier « instrument de rénovation urbaine » qu'il s'attache à définir est-il celui qui doit permettre d'équilibrer ce rapport.

Le problème est éternel — la solution doit être universelle : « De quoi s'agit-il ? De 800 000, de 200 000 ou de 3000 habitants ? Pas du tout ! Il s'agit d'un homme, d'une femme et de quelques enfants, éléments de l'harmonie d'un foyer. » L'immeuble-villas, l'immeuble à redents, les différentes versions de l'Unité d'habitation partent tous du même postulat : « Si vous voulez élever votre famille dans l'intimité, le silence, les conditions de nature... » pour aboutir à la solution réalisée pour la première fois à Marseille : « ... mettez-vous à deux mille personnes, prenez-vous par la main ; passez par une seule porte accompagnée de quatre ascenseurs de vingt personnes chacun... Vous aurez la solitude, le silence et la rapidité des contacts « dedans-dehors ». Vos maisons auront cinquante mètres de haut... les parcs seront autour de la maison pour les jeux des enfants, des adolescents et des adultes. Et sur le toit vous aurez des maternelles étonnantes. »

Esquisse d'un projet d'Unité d'habitation ▶
pour les « Hauts-d'Alger » :
« Les 24 heures solaires, événement fondamental qui rythme la vie des hommes » - 1942.

161

*Schéma de l'encombrement du sol par l'Unité d'habitation
(en noir) groupant 350 logements pour 1600 habitants,
comparé à la superficie d'une cité-jardin horizontale
de même population (en blanc).*

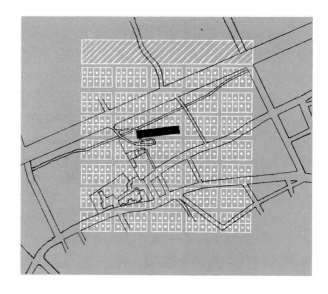

*Projet pour Meaux:
5 unités d'habitation de grandeur conforme et
2 tours pour célibataires - 1955-1960.*

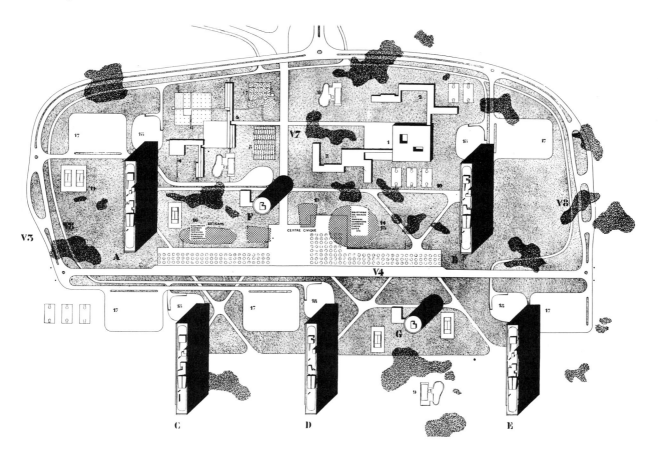

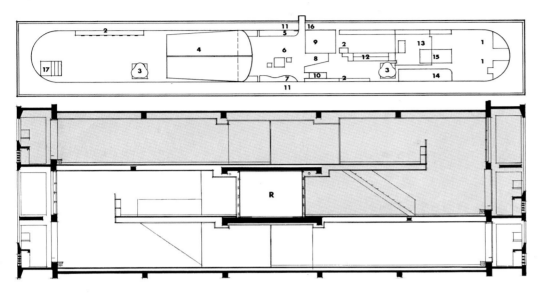

1. Montagnes artificielles
2. Bac à fleurs
3. Cheminées de ventilation
4. Gymnase
5. Solarium est
6. Vestiaires et terrasse supérieure
7. Solarium ouest
8. Tables en béton
9. Tour d'ascenseur avec entrée de la terrasse et bar
10. Escalier extérieur
11. Piste de course à pied de 300 m
12. La rampe reliant l'étage du service santé (17e étage) avec la terrasse et la garderie d'enfants
13. Garderie d'enfants
14. Jardin d'enfants
15. Piscine
16. Balcon
17. Mur brise-vent (théâtre en plein air)

Schémas de fonctionnement d'une Unité d'habitation - Marseille, Cité Radieuse - 1945 : dispositif du toit-terrasse et coupe montrant l'imbrication des deux appartements à deux niveaux et la formation de la rue intérieure (R).

La coupe transversale fait apparaître clairement l'économie interne de l'Unité d'habitation. Tous les appartements sont à double orientation est-ouest, disposés sur deux niveaux, et possèdent un séjour à double hauteur. Ils sont desservis par la rue intérieure qui court, tous les deux niveaux, sur toute la longueur du bâtiment : l'accès aux appartements se fait soit au niveau du séjour (type dit supérieur), soit à celui de la loggia (type dit inférieur). Le nombre d'arrêts étant ainsi limité à huit, le débit des ascenseurs se trouve accéléré et leur fonctionnement rendu plus économique. Le dispositif est complété au 6e et 7e niveau par une galerie marchande qui n'a été réalisée qu'à Marseille.

Coupe transversale de l'immeuble avec étude de la courbe du soleil donnant sur les loggias.

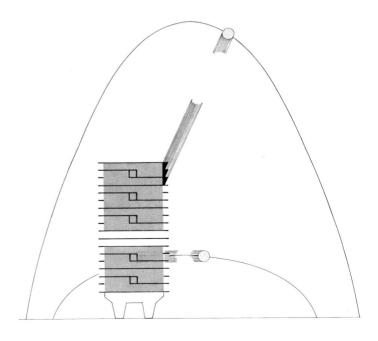

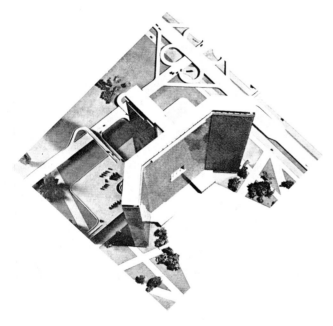

Du futurisme (Sant'Elia) à l'expressionnisme (Bruno Taut, Scharoun) et au constructivisme (Tatlin, Lissitzky, Gabo), de 1914 à 1922 environ, le gratte-ciel avait fourni au néo-romantisme de la grande ville un de ses thèmes majeurs : on le retrouve dans la Cathédrale du socialisme, le bois gravé de Feininger illustrant le premier manifeste du Bauhaus, comme dans la — bien modeste — Tour Einstein de Mendelsohn ou dans certains projets de Mies van der Rohe (cf. p. 41). En 1924 toutefois, le concours pour le siège de la Chicago Tribune amène un certain nombre d'architectes européens à envisager le gratte-ciel sous un aspect moins purement poétique et à passer de l'esquisse libre à l'analyse d'un programme précis et de conditions de réalisation très concrètes. De son côté, Perret avait déjà étudié de façon systématique la possibilité de réaliser en ossature de béton armé (et non, comme aux Etats-Unis, en charpente métallique) des immeubles de très grande hauteur. Mais, gagné lui aussi par la contagion anticipatrice, il s'était laissé aller jusqu'à évoquer, dans une interview, la vision quelque peu utopique de « villes-tours ».

Dès la Ville Contemporaine de 1922, Le Corbusier fait, dans ses projets d'urbanisme, une place considérable au gratte-ciel. Non qu'il lui attribue aucune valeur symbolique ou monumentale : il refuse même d'en souligner, comme c'était alors la mode, la verticalité, et appelle assez curieusement ses premiers gratte-ciel, établis sur plan cruciforme, « gratte-ciel horizontaux ». Il entend signifier par là que, la longueur des bras de la croix étant en proportion de la hauteur de l'édifice, l'horizontale formée par les terrasses qui les couronnent donne au sky-line que dessine leur groupement la rectitude impeccable qui convient à la cité des affaires.

Gratte-ciel cruciforme.
Etude faite pour le Plan Voisin à Paris - 1925.

Gratte-ciel cartésien « en patte de poule » - 1930.

Gratte-ciel en étoile.
Etude faite pour l'urbanisation d'Alger - 1933.

Le gratte-ciel en effet est, dans la ville, un « instrument » auquel Le Corbusier assigne une fonction et une place bien précises. Un petit nombre de super-gratte-ciel abritent la totalité de cette cité des affaires qui forme le cœur de ce qu'il appellera plus tard la métropole des échanges. Cette concentration permet de créer à leurs pieds la Ville verte: « En pleine cité d'affaires, là où peuvent s'élever des gratte-ciel, la ville pourtant reste verte, les arbres sont rois; les hommes, sous leur couvert, vivent sous l'égide de la proportion: le rapport nature-homme est rétabli. » Mais cette concentration pose, du fait de l'afflux et du reflux massifs des milliers de personnes qui travaillent dans chaque gratte-ciel, des problèmes aigus de circulation. Aussi, dès le Plan Voisin de 1925, le gratte-ciel d'affaires apparaît-il doté de tout un système de voies de desserte qui en constituent le complément indispensable. En traitant ainsi d'emblée le gratte-ciel non pas en morceau isolé d'architecture, mais à l'image de l'immeuble-villas, comme une unité urbanistique intégrée, Le Corbusier en fait un des éléments déterminants de l'« ordre de grandeur » qu'il tient pour significatif de la ville moderne.

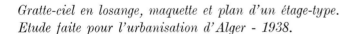
Gratte-ciel en losange, maquette et plan d'un étage-type. Etude faite pour l'urbanisation d'Alger - 1938.

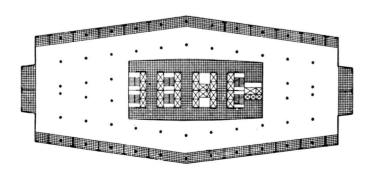

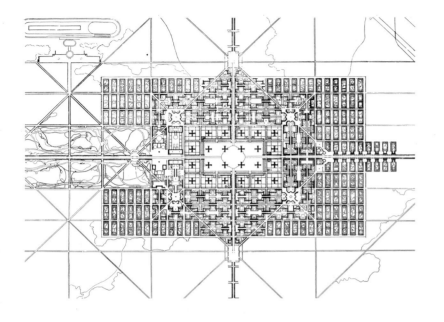

« *Une ville contemporaine de trois millions d'habitants* ».
Etude présentée au Salon d'Automne - 1922.

Dans la Ville Contemporaine, la cité des affaires est entourée de toute part par les quartiers d'habitation (immeubles à redents), l'industrie étant rejetée à la périphérie. Les circulations s'articulent sur deux grands axes se recoupant perpendiculairement, au centre de la ville. La Ville Radieuse abandonne ce schéma concentrique pour une organisation linéaire : « Se souvenir, note Le Corbusier, que la vie organique quitte le stade primaire de la cellule concentrique pour, au cours de l'évolution des espèces, suivre un axe, prendre une direction, se désigner un but. » Le « développement biologique » de la ville peut se faire librement de part et d'autre de cet axe, par extension latérale de chacune des zones qui la constituent et qui s'alignent sur l'axe selon lequel elle s'oriente. « Le principe est clair : la résidence constitue l'élément primordial. Les éléments divers du travail et du divertissement doivent être disposés de façon à éviter les trajets stériles. »
Les « redents » doivent permettre d'assurer, malgré une très faible occupation du sol (12%) une densité d'habitation très élevée (1000 habitants à l'hectare).

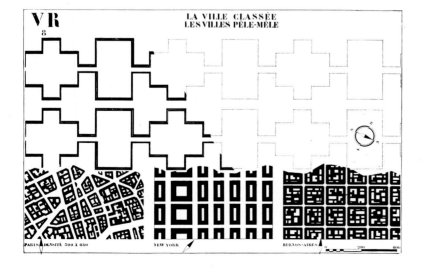

« *Ville classée, villes pêle-mêle* ».
*Graphique d'un schéma d'immeubles à redents
de la Ville Radieuse comparé à des quartiers de Paris,
New York, Buenos Aires, représentés à la même échelle.
Etude présentée au CIAM de Bruxelles - 1930.*

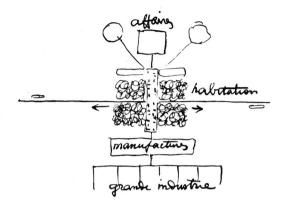

Croquis de la Ville Radieuse.

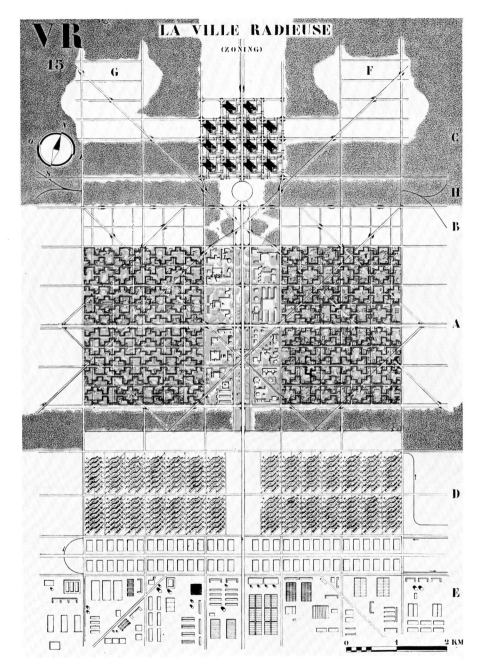

Zonage de la Ville Radieuse.
Etude présentée au CIAM de Bruxelles.
1930.

a) *l'habitation*

b) *les hôtels, les ambassades*

c) *la cité des affaires*

d) *les manufactures, les entrepôts généraux*

e) *l'industrie lourde*

f) *villes satellites, par exemple siège du*

g) *gouvernement ou centre des études sociales, etc.*

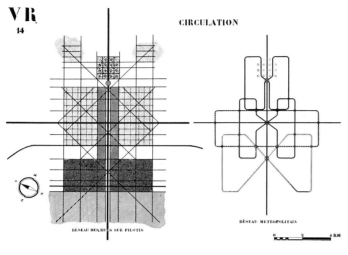

L'étude d'un « système fluvial » de « circulations classées », coordonnées et continues, représente sans doute l'aspect le plus important pour l'avenir de l'étude de Ville Radieuse. La circulation automobile, répartie sur deux niveaux suivant les vitesses réelles, dispose d'un réseau très allégé d'autoroutes à larges mailles (400 × 400 m) : elle est rattachée directement aux circulations mécaniques verticales des immeubles ; les circulations piétonières en sont totalement indépendantes. Le réseau du métropolitain, qui complète celui des circulations de surface, est lui aussi établi de façon à ce que le trafic soit accéléré et l'orientation des usagers facilitée.

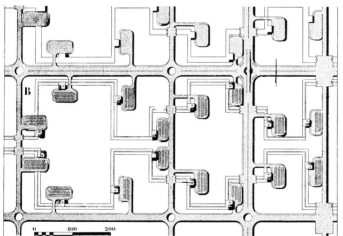

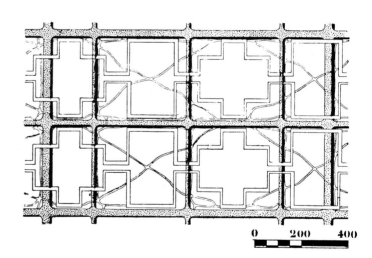

Les circulations de la Ville Radieuse (CIAM de Bruxelles, 1930) : autoroutes et autoports (parkings) desservant les immeubles à redents ; circulations automobiles et piétonières ; indépendance des circulations piétonières par rapport aux circulations automobiles et au tracé des « redents ».

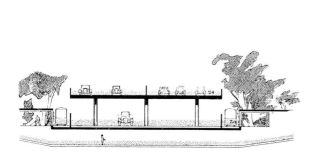

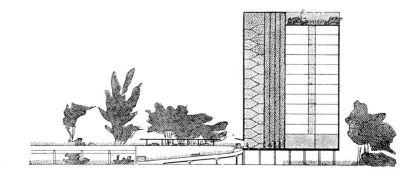

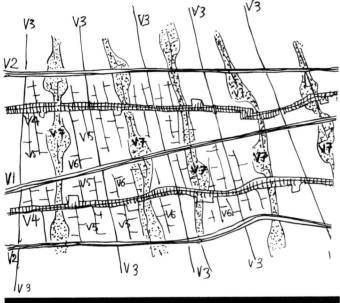

L'irrigation du territoire par les 7V (1945):

V 1 autoroute de liaison interurbaine
V 2 axe majeur de circulation urbaine
V 3 réseau intraurbain de circulation automobile
V 4 voie commerciale intérieure aux secteurs
V 5 et V 6 voies de desserte des maisons
V 7 artère de loisirs.

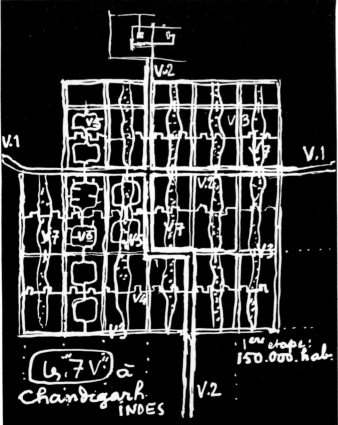

Quinze ans après la Ville Radieuse, le système dit des « 7V » raffine sur le classement des circulations en vue d'en assurer la parfaite continuité.
Le système des 7V sera appliqué intégralement à Chandigarh. Le V3, qui délimite les secteurs, et le V4 en sont les éléments-clés. « Le V4 », dit Le Corbusier qui lui attache une importance toute particulière, « est le lieu de rassemblement du secteur d'activité intense de vie citadine. Le V4 sera la voie qui donnera son caractère propre à chaque secteur. En conséquence, chaque V4 sera différent des autres et muni de caractéristiques spécifiques, car il est indispensable de créer une grande variété à travers la ville et de fournir aux habitants des éléments de classification. » C'est au V4 qu'incombent en effet les fonctions sociales traditionnelles de la rue. Quant au V7, Le Corbusier le définit lui-même ainsi : « Le V7 est une zone linéaire verte qui irrigue les secteurs, à la verticale. Ces grandes bandes de verdure contiennent les écoles, les terrains de sport, etc... Elles passent d'un secteur dans l'autre par les mêmes sorties que les V5. »

Chandigarh, application du système des 7V - 1951.

169

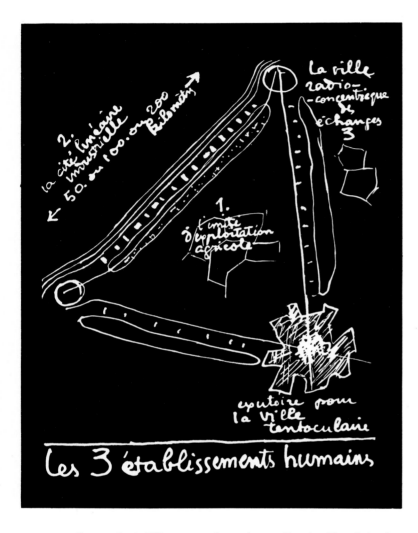

« Les trois établissements humains » : l'unité d'exploitation agricole, la cité linéaire industrielle, la ville radio-concentrique des échanges - 1945.

La « Ville Radieuse » était polyvalente, centre d'affaires et d'administration, voire de gouvernement, en même temps que de production. On pourrait interpréter comme une application rigoureuse du principe du zonage énoncé par la Charte d'Athènes la dissociation qui intervient ultérieurement entre la « métropole radio-concentrique des échanges » et la « cité linéaire industrielle ». Il semble toutefois plus juste d'y voir la recherche d'une adaptation plus étroite de l'outillage urbain à la structure du réseau de voies de communication, que Le Corbusier tient désormais pour l'instrument primordial de l' « occupation du territoire ». Avec la cité linéaire industrielle, la fonction secondaire, jusque-là quelque peu négligée, trouve une forme adaptée à ses exigences propres : « La cité linéaire industrielle est mesurée à l'échelle de l'homme et à la course du soleil. C'est la grande création de l'urbanisme des temps modernes. La campagne est devenue mécanicienne également et offre ses vastes étendues vertes et cultivées entre les cités linéaires irriguant le territoire. » La carte de l'ASCORAL, dessinée en pleine guerre, extrapole « de l'Atlantique à la Chine » le réseau que la cité linéaire industrielle tisse sur le continent : « Le propos était anathème et dangereux en cette année 1943. Aujourd'hui, les frontières à canons s'écroulent, les zones économiques se détachent naturellement et les grandes routes des cités linéaires iront de l'Atlantique à la Chine. Cheminement éternel et fatidique : déjà, aux temps premiers des sociétés humaines, et sans autre véhicule que le pas de l'homme, ces mêmes routes furent parcourues. Ceci autorise à inscrire ce terme : « Fin d'un monde » : les trois établissements humains. »

Occupation naturelle du territoire.
Carte de l'Europe de l'ASCORAL - 1943.

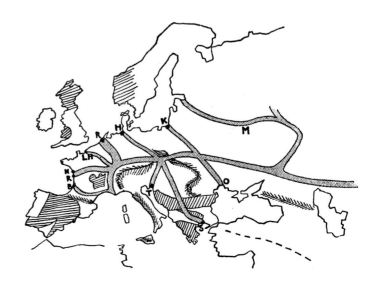

Les insuffisances d'une recherche limitée à la ville sont désormais évidentes, c'est l'ensemble des relations s'établissant à l'intérieur du « territoire » (synonyme pour Le Corbusier de continent) qu'il convient de définir et, à nouveau, de « classer ». La notion même d'urbanisme est dépassée, l'accent est mis sur les circulations (« les quatre routes », « les 7 V »). On notera le caractère pluridisciplinaire de l'équipe de l'ASCORAL et l'insistance avec laquelle Le Corbusier souligne la nécessité d'une recherche collective.

Quarante ans durant, Le Corbusier a ainsi traité suivant les mêmes principes les nombreuses villes pour lesquelles il a établi des plans de rénovation. Ni l'évolution qu'avaient subie entre-temps le phénomène urbain et la civilisation industrielle elle-même ; ni la diversité historique des situations concrètes qu'il abordait ; ni la complexité technique croissante de cette singulière discipline qu'est l'urbanisme — rien, en quarante ans, n'a apparemment ébranlé des convictions arrêtées dans leurs grandes lignes dès 1922-1925. Cette obstination s'explique, sinon se justifie, par l'insurmontable résistance que partout — l'Inde de Nehru exceptée — l'« autorité » a opposée à l'application des deux thèses dont Le Corbusier faisait la condition préalable de toute action d'urbanisme : le passage à l'« ordre de grandeur » répondant à la civilisation du plus grand nombre, et la mise en œuvre concertée de l'ensemble des « instruments de rénovation urbaine ». Cette lutte tragique et vaine a-t-elle entraîné une sclérose, empêché Le Corbusier de procéder à l'indispensable révision d'un système devenu pour lui système de défense personnelle ? La réponse que l'on donne à cette question dépend trop directement de la valeur que l'on reconnaît — ou refuse — aux idées dont est fait ce système pour apporter beaucoup de clartés. Qui était Le Corbusier urbaniste? Un « terrible simplificateur », héritier attardé, aujourd'hui dépassé, des utopistes des XVIIIe et XIXe siècles, indifférent à l'homme réel et ne connaissant que des hommes-machines — ou un intuitif génial, posant les jalons d'une voie royale dans laquelle l'analyse des spécialistes ne l'a pas encore rejoint? Le « Procuste esthète » que voyait en lui Lewis Mumford, son détracteur le plus acerbe, sinon le plus perspicace et le mieux informé, ou le libérateur qu'il voulait être d'un homme maîtrisant les techniques, et non plus dominé par elles? Le débat ne porte pas tant sur la composition de l'outillage proposé (la polémique en ce domaine se concentrant sur l'Unité d'habitation) que sur l'idée même d'un blocage des différentes fonctions de la ville en autant d'unités architecturales normalisées, isolées et distribuées suivant un schéma apparemment uniforme de zonage. Traiter la ville comme la somme arithmétique de quelques fonctions élémentaires et stables semble une simplification arbitraire: la vie de la ville n'est-elle pas faite de la perpétuelle remise en question de l'équilibre de fonctions multiples, évoluant elles-mêmes constamment? Les rapports entre fonctions s'établissent de façon différente pour chaque groupe social, chaque famille, chaque individu: des instruments architecturaux standards peuvent-ils assumer cette multiplicité chatoyante de fonctions et s'adapter à leurs incessantes transformations? L'analyse sociologique semble montrer que la ville forme un tissu non typifié de cellules toutes différentes, ayant chacune une fonction spécifique: cette continuité fonctionnelle du tissu urbain, qui s'exprime dans sa continuité visuelle, peut-elle être maintenue dans une structure reposant sur l'articulation purement mécanique d'organes détachés les uns des autres? La libération du sol obtenue par la concentration verticale est-elle vraiment libération fonctionnelle? La « mort de la rue » ne signifie-t-elle pas plutôt la mort de la ville? Enfin, si radicales qu'aient été les transformations apportées à sa structure par la civilisation industrielle, la ville, chaque ville en particulier, ne se définit-elle pas essentiellement par la continuité d'un développement historique original? Le Corbusier refuse de décongestionner la ville ancienne en créant des villes satellites ou « parallèles », et exige que sa mutation se fasse sur place: ne la coupe-t-il pas ainsi de ses racines pour la projeter dans ce qui n'est que l'illusion d'un futur? Ne prétend-il pas, comme toutes les utopies, l'arracher à l'histoire?

On notera que s'il donne à l'occasion un coup de chapeau à Fourier et à son phalanstère, Le Corbusier se défend toujours énergiquement de se placer sur le plan de l'utopie: dès *Urbanisme* par exemple, il prend nettement position contre les « villes-tours » de Perret, dans lesquelles l'extrapolation du principe de l'exploitation des trois dimensions « n'est pas réaliste ». En proposant le renouvellement complet de l'outillage urbain, il entend au contraire faire acte de réalisme historique, se placer dans la ligne même de l'histoire: chaque époque ayant créé l'outillage adapté à son mode de vie, c'est aller contre l'histoire que de refuser à la société machiniste le droit de s'en donner un à l'échelle de ses besoins. Mais cette société elle-même n'est pas libre de déplacer le centre de gravité des métropoles d'échanges: la localisation de ce centre est trop directement liée au réseau des cheminements et des relations, proches et lointaines, fondé sur la géographie et développé par l'histoire, trop de valeurs, matérielles et immatérielles, y ont été investies pour qu'un déplacement ne mette fatalement en cause une continuité qui n'exclut pas toutefois les mutations auxquelles doit répondre le renouvellement de l'outil-lage. C'est ainsi que le respect de la continuité histo-rique a amené Le Corbusier à la fois à refuser toute hypothèse tendant à « désaxer » Paris, à en éloigner le centre du grand nœud d'axes de relations qui a déter-miné sa localisation, et à proposer en même temps que, à l'intérieur du tissu urbain actuel, le centre des affaires et les voies de communication rapide qui l'alimentent soient reportés légèrement au nord d'un centre historique dont il importe de préserver l'inté-grité monumentale.

La vision historique qui lui fait saisir, parfois à contre-pied des analyses des spécialistes, la vocation maîtresse d'une ville, est une composante essentielle de la démarche de Le Corbusier urbaniste. A Chandi-garh par exemple, il dégage de façon péremptoire la fonction symbolique d'une ville dans laquelle l'équipe « oxfordienne » qui l'avait précédé n'avait traité que la fonction résidentielle. A Venise il ne propose pas, comme on l'attendait généralement, une composition monumentale, de nouvelles Procuraties, mais son projet d'hôpital a le même sens qu'avait pour Paris le plan de rénovation de l'Ilot No 6: le renouvellement complet — et généralisable — de l'outillage: volumes bâtis et volumes de circulation, y est prévu sans que soit le moins du monde mise en question la conti-nuité vivante du tissu. Si Le Corbusier refuse de déplacer le centre de gravité des villes historiques, c'est qu'il sait leur destin lié aux rues prolongeant dans leur enceinte le réseau de routes qui les ratta-chent au monde et qui les constituent, suivant le mot d'un géographe, « beaucoup plus substantiellement que les masses de pierres qu'elles circonscrivent ». La rue est pour lui à ce point une réalité physique, non pas linéaire et abstraite, mais tridimensionnelle, qu'il écrit, par exemple, en 1930: « Les édiles de l'époque machiniste ne sont pas encore arrivés à comprendre que la rue n'est pas une croûte posée sur la terre, mais qu'elle est *un bâtiment en longueur*, un édifice, *un contenant*, et non un épiderme. » Qu'à la trame unique des rues anciennes, dérivées du « chemin des ânes », il faille désormais substituer un système « classé » sui-vant les « contenus » et formé de plusieurs trames superposées; que ce classement des circulations soit la condition première de la régénération de la rue, et par là même de la ville, un accord quasi unanime s'est fait aujourd'hui là-dessus. Comment Le Corbusier entend ce classement, c'est sans doute le plan de Chandigarh qui le fait le mieux apparaître. Articulé sur le contrepoint des « V3 » rectilignes de desserte automobile rapide, délimitant des « secteurs » de 800 × 1200 m, et des cheminements piétoniers, de commerces ou de loisirs, reliant entre eux ces secteurs, il prévoit un réseau aux mailles suffisamment larges pour permettre aux fonctions — la fonction gouver-nementale exceptée — de se déplacer de secteur à secteur, et aux circulations de se réorienter suivant l'évolution des besoins. Apparemment plus rigide que le premier projet établi par des urbanistes s'inspirant des travaux de Clarence Stein, il est en réalité infini-ment plus souple et aurait permis la formation d'un tissu urbain subtilement différencié et fortement innervé, si les services d'architecture de la capitale du Pendjab avaient le moins du monde cherché à tirer parti des possibilités qu'il contient.

C'est autour de ce que Le Corbusier lui-même a présenté comme l'apport essentiel de la « technique libératrice »: la libération de la plus grande partie du sol de la ville par la concentration en hauteur des volumes bâtis, que la polémique s'est faite — et est encore — la plus virulente. Deux idées, voire deux mythes, s'affrontent en effet ici, celui de la ville et celui de la nature, et la combinaison qu'en propose Le Corbusier en prétendant établir, au cœur même de la grande ville, les « conditions de nature », semble aux urbanistes comme aux naturistes un non-sens et une utopie: les uns tenant pour la continuité du domaine bâti, les autres pour l'habitat individuel, les uns pour l'interpénétration, les autres pour la déconcentration des fonctions — les uns et les autres tombant en tout cas d'accord pour tirer argument, contre l'idée de Ville Radieuse, de l'échec humain de la plupart des ensembles d'habitat «aéré» construits par le monde depuis la dernière guerre.

Il convient de relever que, quarante ans après l'élaboration de la Ville Radieuse, il ne peut légitimement être fait appel, ni pour ni contre elle, à l'exemple d'aucune réalisation concrète. En particulier, aucune des cités-dortoirs dans lesquelles l'application des principes de la Charte d'Athènes est ramenée à un hygiénisme simpliste ne remplit, que ce soit pour l'articulation des fonctions ou pour les rapports des volumes construits entre eux et avec les espaces extérieurs, les conditions de « Ville Radieuse » telles que les a définies Le Corbusier. Mais, en tout état de cause, il ne saurait être ici question de traiter à fond un débat dans lequel interviennent, à côté de données de fait infiniment complexes, des prises de position idéologiques et passionnelles contradictoires: il ne peut s'agir que de marquer comment les grands thèmes de l'urbanisme de Le Corbusier s'inscrivent dans le mouvement de pensée dont est née son architecture, comment se fait chez lui le passage de l'organisation de l'espace architectural à celle de l'espace urbain, voire de l'espace social en général.

Or, Le Corbusier urbaniste apparaît tout d'abord aussi profondément plasticien qu'il ne l'est lorsque, peintre, il organise la surface d'un tableau ou, architecte, règle le « jeu des formes sous la lumière ». Plasticien, c'est-à-dire créateur d'un ordre visuel qui ne satisfasse pas seulement la raison, mais touche le cœur: pour Le Corbusier, pas plus que l'architecture ne se confond avec la construction, l'urbanisme ne s'épuise dans l'accomplissement d'un certain nombre de fonctions, mais débouche nécessairement sur ce que le vieux Sitte appelait l'« art de bâtir les villes », sur la mise en ordre et la mise à l'échelle de pleins et de vides. « Le dehors est toujours un dedans. » Une ville n'est pas un plan, si fonctionnel soit-il, mais un site, un paysage. De plus, « l'urbanisme est une science à trois dimensions, indissolublement liées entre elles... tout ce qui intéresse la surface ne peut exister qu'en fonction de la hauteur. Ici est la clef même de toute solution. » Un des corollaires de ce postulat fondamental de l'urbanisme spatial est que la qualité de tout plan d'aménagement dépend étroitement de la qualité et plus spécialement de l'échelle de l'architecture dans laquelle il s'incarne. Les grands événements architecturaux sur lesquels s'ordonnent les plans d'urbanisme de Le Corbusier, si peu nombreux que soient leurs types, s'articulent entre eux et avec les espaces qu'ils scandent de façon à offrir au spectateur, au fil de sa promenade, des sites fortement caractérisés et dont l'aspect se renouvelle sans cesse. Du tracé régulateur auquel il soumet l'ordonnance de la Cité Mondiale jusqu'à la grille qu'il imagine pour imbriquer les redents de la Ville Radieuse, Le Corbusier a multiplié les dispositions qui permettent d'assurer au spectacle de la ville unité et, malgré la répétition des mêmes éléments de base, diversité, conformément à la maxime de l'abbé Laugier qu'il cite à plusieurs reprises: « Du chaos, du tumulte dans l'ensemble, de l'uniformité dans le détail. » Il n'est guère difficile d'imaginer la richesse des itinéraires visuels offerts par le jeu des volumes inscrits dans les plans qu'il prévoit pour Anvers, Bogota ou Saint-Dié, par exemple, pour ne rien dire d'Alger et de Rio.

Pour Le Corbusier, passer de la « ville pêle-mêle » à la « ville classée », de la « ville tassée » à la ville ouverte, est désormais le seul moyen qui permette de réinstaurer dans l'univers urbain cette unité d'échelle dont l'absence rend si opprimante la mégalopole moderne. La question de savoir si l'ordre de grandeur résultant de cette mutation peut être accordé à l'échelle humaine, si les dimensions considérables que prennent désormais les espaces intraurbains ne risquent pas de faire naître chez le citadin un nouveau sentiment d'aliénation (celui-là même qui serait une des composantes majeures de l'actuelle « maladie des grands ensembles »), Le Corbusier se l'est posée, comme il le dit lui-même, avec angoisse : « Les vides immenses que je créais dans cette ville imaginaire, dominée par un ciel répandu partout, j'avais une grande angoisse qu'ils fussent « morts », que l'ennui ne régnât, que la panique ne saisît les habitants. » La savante harmonie de rapports mathématiques équilibrant volumes construits et espaces libres n'offre pas une assurance suffisante contre le dépaysement que peuvent faire naître les dimensions inaccoutumées du nouveau site urbain. « Gigantomachie », demande Le Corbusier à propos des gratte-ciel de la Ville Radieuse ; « non : le miracle des arbres et des parcs rétablit l'échelle humaine. »

L'introduction massive de l'arbre dans la ville ne relève donc pas d'une foi quelque peu naïve dans le pouvoir magique de la verdure, d'un romantisme rousseauiste du désordre naturel opposé à la géométrie abstraite des ordonnances construites. Le Corbusier ne voit pas seulement dans l'arbre le support des « conditions de nature » (soleil, espace, verdure) dispensatrices des « joies essentielles »; l'arbre fournit aussi la valeur-clé de l'échelle qui doit permettre de rétablir une continuité visuelle et dimensionnelle entre l'homme, invariant naturel, biologique, et le milieu antinaturel de la ville. Sans que soit pour autant reconstituée la « rue-corridor », morceleuse d'espace, l'arbre recrée le niveau intermédiaire de 8 à 12 m qui, dans les villes traditionnelles d'habitat individuel continu, sert de base visuelle à l'événement architectural majeur de l'église ou de la mosquée. On notera que, pour la même raison, Le Corbusier limite à huit étages doubles la hauteur de ses Unités d'habitation afin que, même du niveau supérieur, le contact visuel soit maintenu avec l'arbre en tant que repère donnant l'échelle du site rapproché, échelle qui n'est plus perceptible à plus grande hauteur. Ce n'est pas seulement pour l'effet réputé rafraîchissant de sa masse de verdure — effet qu'il ne produit guère que six mois par an — que l'arbre est appelé à jouer un rôle aussi important dans l'urbanisme de Le Corbusier, mais surtout parce qu'il apparaît comme la forme, organisée biologiquement, la plus propre à fournir à l'homme le repère dont il a besoin pour s'orienter dans l'« ordre de grandeur » entièrement nouveau de la civilisation machiniste et de son équipement. L'arbre devient lui aussi, dans cette machine à vivre en société qu'est la ville, un organe à la fonction parfaitement définie, aussi indispensable que le sont les autres organes dont est fait l'« outillage urbain »: par lui, l'ordre de grandeur antinaturel de la ville est rattaché à celui, biologique, du monde naturel.

Cette démarche singulière, souvent mal comprise, fait ainsi apparaître un des présupposés essentiels de la pensée de Le Corbusier architecte et urbaniste, à savoir l'exigence qu'il pose de lier à la mesure de l'homme toute forme organisée, l'arbre ne faisant en quelque sorte que relayer celui-ci, comme mesure naturelle, à l'échelle du site. Pour Le Corbusier en effet, si immédiat et, pour ainsi dire, si inéluctable que soit chez lui le processus d'invention de la forme plastique, l'organisation de l'espace dans le domaine de l'architecture comme dans celui de l'urbanisme ne se ramène jamais à un problème de composition de masses, mais repose toujours en fin de compte sur la définition d'un système de mesures assurant à l'homme un contrôle fonctionnel et visuel total de son environnement. Toute forme vivante, qu'elle soit naturelle ou construite, est pour lui, en dernier ressort, organisation (« L'architecture est organisation, disait-il en 1938 à de futurs architectes, vous êtes des organisateurs, et non pas des artistes de la planche à dessin »), et de cette organisation peut seul rendre compte le nombre. Que Le Corbusier cherche, le crayon à la main, à saisir la loi d'organisation d'une plante, d'un coquillage, ou à définir la meilleure articulation possible des différents organes d'une ville, presque toujours finissent par surgir en marge de ses croquis des chiffres, des rapports numériques: voir est pour lui synonyme de mesurer. Au sens très large auquel il entend les deux notions, biologie et mathématique semblent pour lui ne faire qu'un. Tout le problème de l'urbanisme contemporain consisterait donc à définir les valeurs intermédiaires d'une échelle capable d'établir un rapport viable et vivable, nécessairement souple, entre la mesure permanente de l'homme et un univers — le monde urbanisé — que l'on peut appeler de la démesure pour autant qu'il ne repose plus sur aucune constante dimensionnelle assurée. L'équation: plastique=biologie=mathématique apparaît comme le postulat premier à la fois de l'œuvre peinte et construite et de la pensée urbanistique de Le Corbusier.

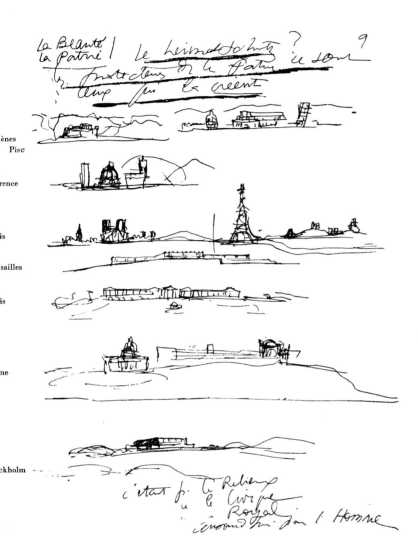

ènes
Pise

rence

ìs

sailles

ìs

ne

:kholm

Ni la cité-jardin verticale, ni le gratte-ciel d'affaires, ni le réseau des autoroutes urbaines ne sont des formes immuables ; instruments dont la raison d'être est de permettre l'application du principe fondamental du nouvel urbanisme : créer de l'espace, ils doivent adapter leurs formes aux situations géographiques dans lesquelles ils sont mis en œuvre. Les esquisses pour Rio et les plans pour Alger illustrent de façon spectaculaire la plasticité de ces « instruments », en même temps que la faculté que possède Le Corbusier de concevoir des paysages architecturaux à l'échelle des sites naturels les plus contraignants.

Croquis d'urbanisme :
« Les protecteurs de la patrie, ce sont ceux qui la créent. »

« A Rio de Janeiro, ville qui semble défier radieusement toute collaboration humaine à sa beauté universellement proclamée, il vous vient un désir violent, fou peut-être, d'ici aussi tenter une aventure humaine — le désir de jouer une partie à deux, une partie « affirmation-homme » contre ou avec « présence-nature. » Une autoroute horizontale, établie au niveau 80, serpente entre baies et pics, envoie des tentacules vers les vallons et vers le port, où elle aboutit sur le toit des immeubles d'affaires, qualifiés ici de «gratte-mer». Sous l'autoroute, épousant les mouvements du terrain, se développe en continu un gigantesque immeuble-villas. La solution est révolutionnaire, mais la référence, une fois de plus, est double : contemporaine — la piste d'essais sur le toit des usines Fiat — et classique — l'aqueduc romain : « Cet aqueduc, hors de l'échelle des maisons, détruira le site? Mais non ! l'aqueduc a fait le site. » Le crayon au reste le confirme : « ... au large de Rio, j'ai repris mon carnet de dessin : j'ai dessiné les monts et, entre les monts, l'autostrade future et la grande ceinture architecturale qui la porte : et les pics... étaient exaltés par cette impeccable horizontale. Les paquebots qui passaient, immeubles magnifiques et mouvants des temps modernes, trouvaient là-bas, suspendus dans l'espace au-dessus de la ville, une réponse, un écho, une réplique. Le site entier se mettait à parler, sur eau, sur terre et dans l'air : il parlait architecture. Ce discours était un poème de géométrie humaine et d'immense fantaisie naturelle. L'œil voyait quelque chose, deux choses : la nature et le produit du travail de l'homme. La ville s'annonçait par une ligne qui, seule, est capable de chanter avec le caprice véhément des monts : l'horizontale. »

Le site d'Alger comporte une contrainte supplémentaire : la présence de la ville ancienne, la Kasbah, qu'il importe de régénérer et de mettre en valeur. Plus encore qu'ailleurs, étant donné l'étroitesse de la bande littorale, l'espace ne peut être créé ici que par l'établissement de « terrains artificiels » : il faut donc construire en hauteur... tout en affirmant l'horizontale, seule compatible avec le mouvement du site. Il faut enfin établir une liaison rapide avec le plateau, à 150 m d'altitude, seule réserve disponible d'espace, dans un site grandiose et salubre. Comme à Rio, Le Corbusier prévoit une autoroute courant parallèlement au rivage, à la cote 100, et dans les soubassements de laquelle 180 000 personnes pourraient être logées en immeubles-villas. Une autre auto-route, celle-ci sur passerelle, mène directement du plateau au sommet des « gratte-mer » du quartier des affaires, en évitant à l'ouest la Kasbah, intégralement préservée. Sur le plateau, un immeuble à redents de dimensions gigantesques (enceinte intérieure 1200 × 800 m) forme « la tiare sur la tête d'Alger ». Ses formes courbes expriment la recherche que Le Corbusier, à propos de la chapelle de Ronchamp, qualifiera plus tard d'« acoustique paysagiste » : « elles répondent à une invite du paysage. Evénement créatif d'ordre plastique : la réponse aux horizons porte plus loin ; la réponse aux vents, au soleil, est plus vraie. Evénement lyrique en vérité, ce qui compte éminemment ; ce qui couronne une démarche rationnelle ».

Urbanisation d'Alger (projet A, 1930).
L'immeuble-viaduc longeant le littoral. Redent de Fort-l'Empereur, relié par une passerelle aux « gratte-ciel » de la cité des affaires.

Etude d'urbanisation de Rio de Janeiro.
Projet de passage de l'autostrade au-dessus d'un ruban d'immeubles-villas - 1936 - dessin à la plume.

Les propositions de Le Corbusier pour Paris sont marquées par un double et constant refus : refus de toute « décentralisation », de tout transfert vers la banlieue, de tout fractionnement de la « cité des affaires », d'une part ; de l'autre, refus du trop fameux « axe triomphal » prolongeant vers l'ouest les Champs-Elysées et venant buter, à l'est, dans le « cul-de-sac de la Concorde ». Pour la cité des affaires, les Plans Voisin de 1922 et 1925 prévoient de l'établir à la place des quartiers lépreux et engorgés qui s'étalent au sud des hauteurs de Montmartre et des Buttes-Chaumont. Un dernier projet réduit à quatre le nombre des super-gratte-ciel : « Dans cette plaine, vidée de bâtisses sans signification, qui s'étend vers Saint-Denis, loin des témoins du passé rassemblés au bord du fleuve, quatre grands événements architecturaux occuperont un large espace, à la gloire d'une civilisation qui, loin d'abdiquer, s'est redonné une ligne de conduite. » Quant aux circulations, Le Corbusier les articule sur une croisée d'axes, dont le plus important est à ses yeux l'axe est-ouest, qui permettrait de restaurer l'unité d'une ville que l'urbanisme ségrégationniste d'Haussmann a divisée en deux moitiés étrangères l'une à l'autre. Cet axe passe au nord de la zone historique, qu'il serait possible de valoriser pleinement en en détournant la circulation de transit. C'est au long de cet axe que, selon le projet présenté dès 1932 par Le Corbusier en vue de l'Exposition internationale de 1937, doit se faire par étapes, en partant de l'est, le passage à la « Ville Radieuse », d'après le modèle élaboré pour la rénovation de l'Ilot insalubre No 6.

En haut : Projet d'urbanisation de Paris.
Maquette du projet du Plan Voisin
montrant l'emplacement d'une cité des affaires face à la Cité.
Projet présenté au Pavillon de L'Esprit Nouveau
à l'Exposition des Arts Décoratifs - 1922-1925.

En bas : Projet d'urbanisation de Paris.
Photomontage montrant le remaniement du quartier
au nord de l'île de la Cité.
Projet présenté dans le cadre de l'Exposition internationale
de 1937.

Projet d'urbanisation de Paris.
Aménagement d'une cité des affaires entre le Châtelet,
Montmartre et les Buttes-Chaumont.
dessin à la plume - 1945
(mise au point de l'idée de 1922).

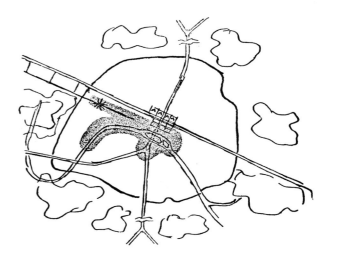

Plan de Paris : les grands axes de circulation.

Projet d'urbanisation de Saint-Dié - croquis à la plume dessiné sur place par Le Corbusier - 1945 ou 1946.

Il s'en est fallu de peu que le beau projet de *J. J. Duval*: faire reconstruire Saint-Dié par Le Corbusier, ne soit en fin de compte réalisé. L'expérience aurait été d'un intérêt considérable. Sur trois points, en effet, elle proposait des solutions révolutionnaires, dont elle faisait la synthèse. Tout d'abord, elle appliquait à la petite ville la formule de l'Unité d'habitation, tenue en général pour un mal nécessaire pour remédier au drame de la grande ville. (Mais on se rappelle la phrase de Le Corbusier: « De quoi s'agit-il? De 800 000, de 200 000 ou de 3000 habitants? Pas du tout! Il s'agit d'un homme, d'une femme et de quelques enfants...! ») Ensuite, le centre civique et social rapprochait des « organes » de la vie collective — hôtel de ville, salle des fêtes, théâtre, musée, grand magasin — traités en « événements architecturaux » d'une qualité rare: l'harmonisation du jeu des volumes avec les vestiges monumentaux de la ville ancienne ainsi qu'avec le profil des collines avait été particulièrement étudiée. Enfin une cité linéaire industrielle était ébauchée, entrepôts, usines et services industriels étant rejetés au-delà du faisceau des voies de communication à grande distance (route-voie ferrée, voie fluviale), mais l'« échelle de l'homme à pied », c'est-à-dire une distance entre le logis et le lieu de travail correspondant à un quart d'heure de marche, étant scrupuleusement respectée.

Maquette du projet d'urbanisation de Saint-Dié - 1945.

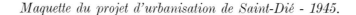

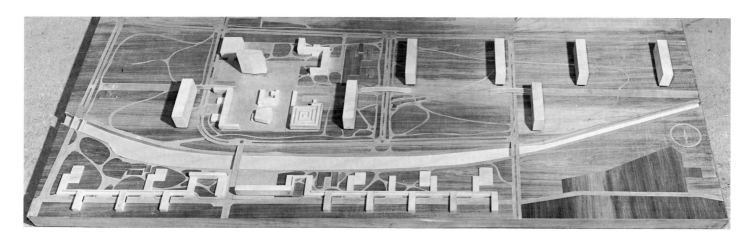

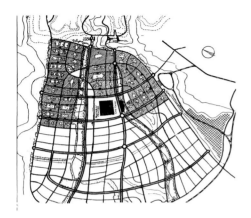

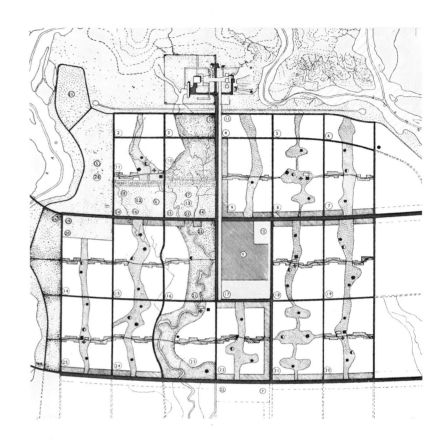

Urbanisation de Chandigarh :
projet de l'agence Albert Mayer (1950) et
plan définitif de Le Corbusier (1951).

A Chandigarh, la mission de Le Corbusier se limitait, en dehors de la construction du Capitole (cf. pp. 185 et ss.) à l'établissement du plan général d'urbanisme de la ville. Si, dans sa disposition d'ensemble, ce plan rappelle celui de la Ville Radieuse, en particulier par la situation excentrée du complexe gouvernemental, par le quadrillage en secteurs (dont les dimensions sont portées à 1200 × 800 m) et par le classement des circulations (cf. p. 169), sa signification exacte n'apparaît que si l'on se réfère au programme très particulier soumis aux urbanistes ainsi qu'au premier projet établi sur ce programme par la firme Albert Mayer. Mis à part le perfectionnement du système des circulations, conçu du reste pour un volume de trafic automobile que Chandigarh est loin d'avoir atteint, le plan de Le Corbusier est caractérisé essentiellement par le refus de la solution cité-jardin et l'affirmation, dans la rigueur géométrique de son articulation, de la vocation foncièrement politique de la ville : nulle part n'apparaît avec autant de netteté la signification morale que Le Corbusier attache au rejet du « chemin des ânes » qui, plus encore que les villes européennes, a tracé les villes indiennes, nulle part non plus ce rejet n'a eu un retentissement comparable. A New Delhi en effet l'Inde avait connu la géométrie du plan comme manifestation de l'ordre colonisateur imposé de l'extérieur. A Chandigarh, cet ordre lui apparaît comme l'expression de sa propre volonté de s'affirmer dans le monde moderne de l'action: on ne saurait surestimer la valeur psychologique de cette rupture dramatique avec l'ordre — ou le désordre — urbain traditionnel de l'Inde. La volonté novatrice des promoteurs du projet n'est toutefois pas allée au-delà de cette affirmation symbolique. Si cet immobilisme n'a pas pesé outre mesure sur la conception de la trame urbanistique d'ensemble, il a en revanche bloqué le développement du tissu architectural qui remplit cette trame. Celle-ci est toutefois assez souple pour pouvoir s'adapter sans autre à d'éventuelles transformations de la structure sociologique de la ville.

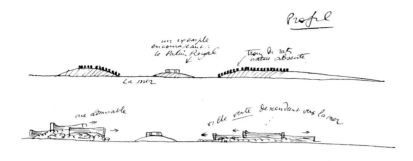

Profil

Croquis d'urbanisme:
« Ceci pour Alger
et cela pour Stockholm
Pour Rio de Janeiro...
Et pour Paris et Anvers,
la Ville verte et ses joies essentielles. »

la « ville verte »

A Alger comme à Stockholm ; à Rio comme à Paris et à Anvers ; à Buenos Aires, Saint-Dié, Bogota, La Rochelle, Genève, Berlin, les plans d'urbanisme de Le Corbusier ont été refusés — presque toujours sans examen — comme barbares et chimériques. Quittant Alger le 22 juillet 1934, après le rejet de trois projets successifs, Le Corbusier note : « ... on me chasse. On a fermé les portes. Je pars, et je sens profondément ceci : J'ai raison, j'ai raison, j'ai raison... C'est une souffrance amère de voir que des hommes dévoués à leur ville lui ont obstinément interdit le sourire de l'art et l'attitude de la grandeur. »

Au siècle de l'explosion urbaine, le seul contemporain qui ait eu, en même temps que le sens inné de l'« ordre de grandeur » de la civilisation nouvelle, le respect de la « biologie historique » de la ville, n'a pu s'exprimer qu'à une seule occasion — au Pendjab. « Les protecteurs de la patrie », avait-il écrit un jour, faisant allusion aux ligues de « Heimatschutz » qui l'avaient les premières, à propos du Weissenhof, accusé de « Kulturbolschewismus », « les protecteurs de la patrie, ce sont ceux qui la créent. »

Il ne s'est trouvé, parmi les nations, que l'Inde de Nehru pour le croire.

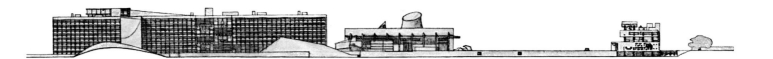

Une profusion de chefs-d'œuvre est là pour témoigner de sa parfaite adéquation méthodologique à la démarche créatrice de Le Corbusier plasticien, et surtout architecte. Dans le domaine de l'urbanisme en revanche, dans lequel il n'a pu, sauf à Chandigarh, nous laisser que des recherches théoriques et des projets restés au stade des études de principe, la présentation presque toujours polémique que Le Corbusier a donnée de ses thèses peut faire paraître cette équation comme une base trop étroite pour la création d'un cadre de la vie sociale.

De toutes les propositions de Le Corbusier, c'est sans aucun doute au sujet de la Ville Radieuse que joue de la façon la plus flagrante l'équivoque créée, sur le sens véritable de son faire, par l'obstination avec laquelle il a présenté et défendu comme une construction intellectuelle, relevant de la pure logique, ce qui était en réalité le fruit d'un processus créateur infiniment plus complexe. Comme dans la conception des « machines à habiter », mais à une tout autre échelle, une masse considérable de motivations très diverses entrent ici en jeu pour préparer, non l'établissement d'une synthèse déductive, mais l'éclosion d'une vision. Pour ne pas être celle d'un esthète, cette vision n'en est pas moins de nature esthétique : vision d'un espace social dont le jeu, à la fois libre et réglé avec exactitude, d'un petit nombre d'organes, de « standards », assurerait l'occupation harmonieuse. Ayant, comme Cézanne l'espace pictural, réinventé l'espace architectural à partir de ses données les plus élémentaires ; ayant trouvé simultanément, dans l'analogie machiniste, une formule qui lui semblait rendre compte, de façon suffisamment provocante pour faire percée, d'une démarche créatrice dans laquelle les raisons du cœur — ce qu'il appelle lui-même la « passion » — jouaient (heureusement) un rôle aussi déterminant que celles de pure raison ; débouchant ensuite, par un mouvement parfaitement légitime, au plan de l'espace social, Le Corbusier maintient et même renforce cette analogie machiniste comme méthode d'exposition sans prendre garde aux dangers qu'elle comporte à ce niveau. A la logique souple et sensible, à l'esprit de finesse dont chacune de ses créations architecturales porte témoignage, elle surimpose en effet une autre logique, toute de raideur démonstrative, qui donne à ce qui fut une intuition ouverte l'allure désagréablement didactique d'un système clos. Le « dessin » trahit ici l'intuition motrice, il semble que l'emporte, sans restriction ni mesure, l'esprit de géométrie.

▲

Profil du Capitole de Chandigarh et maquette exécutée par Rattan Singh, situant le Secrétariat, l'Assemblée, le Palais du Gouverneur, la Haute Cour.

▼

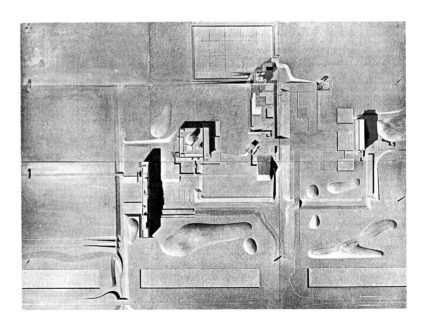

Chandigarh, le Capitole : vue prise du portique de la Haute Cour sur le Secrétariat et l'Assemblée.

« Signifier par l'art la conquête épique des Temps Nouveaux.» En 1951, à Chandigarh, le propos est le même que, vingt ans plus tôt, à Moscou. Dans l'Inde indépendante, mais exsangue, écrasée sous le poids de son retard économique et social, le langage employé ne peut toutefois être identique. Mécanicien, et faisant ostensiblement état, au Palais des Soviets, des pouvoirs de la technique, par la force des choses il retrouve au Capitole des accents plus simples, presque primitifs, mais non moins actuels: au-delà de la situation indienne à laquelle il a d'abord à répondre, le langage de Chandigarh est au diapason de l'époque entière, comme celui du Palais des Soviets l'était à celui des Temps Nouveaux. La référence de base reste le Campo Santo de Pise (bien que l'indigence des moyens ait interdit ici tout accent en hauteur), la méthode reste toujours le rapprochement d'« organes définis indépendamment les uns des autres », le centre civique étudié pour Saint-Dié représentant l'étape immédiatement préparatoire. Les dimensions sont épiques: l'esplanade, qu'encadrent à l'est et à l'ouest les prismes stricts du Palais de Justice et du bâtiment des Ministères, mesure 400×800 m, et c'est sur le fond des premiers contreforts de l'Himalaya que s'enlèvent les silhouettes animées du Parlement et du Palais pour le Gouverneur. De part et d'autre, un parc de loisirs, en voie d'aménagement, et un lac artificiel, que retient un barrage-promenoir, créent des horizontales de silence à la mesure de l'ensemble qu'ils flanquent.

Chandigarh, le Capitole: façade ouest du Secrétariat - 1958.

Chandigarh, le Capitole : le Palais de Justice vu du Palais de l'Assemblée - 1956.

Mais, si tout est gigantesque, rien ici n'est démesuré. Car ce n'est en fin de compte ni par le site, ni par l'idéal politique qu'est donnée l'échelle, mais toujours et simplement par l'homme, et par l'homme le plus humble. A propos du projet de Palais pour le Gouverneur, Le Corbusier raconte : « Au cours des trois années 1951-1953, le projet développé a pris corps. 1954 : crise ! Le coût est infiniment trop élevé ! Que s'est-il produit ? Les plans étant acceptés, on avait revu les hauteurs et les largeurs de toutes choses... et l'on avait glissé (puisque c'était pour le Gouverneur !) du côté des cotes les plus fortes du Modulor. Le volume s'avère le double du précédent ! Et l'échelle du Palais démesurée ! On avait bâti à l'échelle des géants !

Tout fut reconsidéré. Le choix des valeurs suffisantes plus basses du Modulor fit baisser de moitié le cube de la bâtisse et nous réinstalla à l'échelle des hommes. Les plans d'exécution achevés démontrèrent qu'ainsi nous avions replacé le Gouverneur dans une maison d'homme. »

C'est bien là en effet qu'achoppe la comparaison avec Michel-Ange, du Capitole de Chandigarh et de celui de Rome. Le Corbusier ne construit ni pour des princes, ni pour des surhommes — non plus du reste que pour « des communistes, des capitalistes, des MRP, des XYZ » — mais pour des hommes dont il cherche à prendre aussi exactement et aussi universellement que possible la mesure. Si l'homme en effet n'est pas pour lui, comme pour le rationalisme, la mesure du monde, il est celle de toute architecture : jamais Le Corbusier ne pense l'architecture en fonction d'un quelconque au-delà de l'homme, politique, social ou même religieux. Ainsi, le couvent de La Tourette est pour lui, « de même que la chapelle de Ronchamp, un programme d'échelle humaine à l'échelle humaine ». C'est la quête d'un langage plus universellement humain que celui des standards de la civilisation mécanicienne qui marque les vingt dernières années de sa recherche architecturale. Le Capitole de Chandigarh en représente un moment grandiose.

Chandigarh, le Capitole :
le Palais de l'Assemblée vu du Secrétariat - 1961.

Chandigarh, le Capitole :
le péristyle d'entrée du Palais de l'Assemblée - 1961.

12 avril (2)
52 (2)

LA GÉOMÉTRIE ET LA VIE

D E cet esprit de géométrie, les manifestations semblent nombreuses dans la pensée de Le Corbusier. Sans doute, sa fidélité à l'analogie machiniste comme méthode, sinon d'exploration, du moins d'exposition, répond-elle surtout à un souci pédagogique et polémique. Mais, de toute évidence, c'est très profondément que plongent les racines de son mépris pour le « chemin des ânes », de sa volonté de donner à la « loi du méandre » une réponse gordienne, de la ténacité qu'il met à « classer », à « faire rentrer dans le rang » toutes choses, de sa philosophie des standards et de l'organisation, de sa quête obstinée d'un système universel de proportions, de cette célébration de l'angle droit auquel il va jusqu'à consacrer, dans sa vieillesse, tout un poème...

Cependant, avec une égale constance, Le Corbusier saisit chaque occasion qui se présente pour prendre ses distances vis-à-vis de ce qu'il est convenu d'appeler le rationalisme architectural. Dès le début de sa carrière, il se refuse à « exprimer la construction » dans l'esprit d'un certain fonctionnalisme alors à la mode. En 1927, au moment où une violente

◄ Chandigarh, le Capitole : dessin définitif du
Palais du Gouverneur.
projet non réalisé - 12 avril 1952.

campagne est sur le point de se déchaîner contre le « matérialisme sans âme ni patrie » des deux machines à habiter qu'il élève à Stuttgart, il conclut un texte dans lequel il pose la question « Où en est l'architecture? » : « La machine à habiter est sur le chemin de l'architecture. Elle apporte une solution inévitable au nouvel équilibre d'une société machiniste. Mais un équilibre social n'existe à vrai dire que sur l'instigation d'un credo, que par la manifestation d'un lyrisme. Nier le credo, supprimer le lyrisme, est d'abord humainement impossible et, si cela était, ce serait priver le travail de sa raison même : servir... Où en est l'architecture? *Elle est au-delà de la machine.* »

On pourrait multiplier les citations. C'est bien au-delà du modernisme de la fonction que Le Corbusier entend situer l'architecture, *son* architecture, de même qu'à l'écart des clichés et des dogmes reçus de l'académisme. « Je n'accepte pas les canons » : la phrase revient presque comme un leitmotiv dans le commentaire qu'il donne, vingt-sept ans plus tard, « du point de vue de l'usager », de ce Modulor dans lequel on pourrait au contraire être tenté de voir l'instrument d'une rationalisation, d'une normalisation intégrale du domaine visuel. Aussi catégoriquement qu'il oppose, aux incertitudes et aux traîtrises du « sentiment », la vertu régulatrice des « standards », Le Corbusier rejette toute mesure et toute forme imposées mécaniquement. Pour lui, un système clos de mesures ou de formes — un canon, un dogme, qu'il soit « moderne » ou traditionaliste — ne peut jamais apporter qu'une réponse partielle, limitée, et donc inefficace ; seules des solutions « ouvertes » rendent compte de l'imbrication, de la solidarité de tous les problèmes que pose l'organisation de l'espace occupé par l'homme ; seules aussi elles préservent l'indispensable part du « lyrisme », permettant l'intervention créatrice du « credo ». Au principe d'autorité, depuis ses années de La Chaux-de-Fonds, il oppose inlassablement la vérité unique de l'expérience vécue, du mouvement de la vie : « De fil en aiguille, vous finissez par tricoter quelque chose. Je dis tricoter parce que ça veut dire que toutes choses sont l'une dans l'autre, l'une impliquant l'autre. »

Dans les vingt-cinq dernières années de sa carrière, le besoin d'ouverture, la recherche de solutions intégrées se manifeste de façon de plus en plus pressante, sous les formes les plus diverses— depuis le programme multidisciplinaire de l'ASCORAL jusqu'à la définition de l'échelle vivante du Modulor, dans les reprises et le développement du thème évolutif (projets de Musée à Croissance Illimitée, groupements « en croûte ») comme dans la grille des 7V, réseau continu de circulations et d'échanges, ou encore dans l'intérêt passionné avec lequel il accueille les nouvelles méthodes, et avec elles les nouveaux langages formels de la construction, aussi bien que le renouvellement des techniques de communication (le *Poème électronique*), voire de traitement de l'information. Mais c'est à travers toute son œuvre — depuis les années de *L'Esprit Nouveau* jusqu'à celles de Chandigarh et de Venise — que courent les grands thèmes fondamentaux de la continuité de la construction, de l'architecture et de l'urbanisme, d'une part, de la « synthèse des arts majeurs » (architecture, peinture, sculpture) de l'autre, le souci d'intégrer dans un mouvement unique l'invention de formes architecturales, la définition de structures urbaines et la création d'« objets plastiques » également accordés au « lyrisme des temps nouveaux ».

S'il ne peut y avoir d'équivoque sur cet empirisme, non plus que sur le sens de l'adhésion de Le Corbusier à ces temps nouveaux — « credo » en la vie qu'il se garde bien de rationaliser en une idéologie du progrès — il n'en va pas de même de la méthode ou, comme il préfère dire, de la manière de penser qui guide sa démarche. Acceptation sans réserve de la discipline des « standards » dispensateurs de certitude, d'une part — de l'autre revendication permanente de la liberté du « lyrisme » investigateur et créateur : cette contradiction fondamentale de sa pensée ne se laisse pas ramener sans plus aux antinomies littéraires de la « retenue » classique et du « dynamisme » baroque, ou de l'apollinien et du dyonisiaque. Il n'est pas non plus possible d'isoler dans l'œuvre de Le Corbusier des créations ou des périodes dans lesquelles triompherait la discipline et d'autres qui seraient autant de libérations, d'explosions du « lyrisme » : la mesure, entendue non pas au sens de modération, de crainte de l'excès, mais comme souci constant de l'unité d'échelle, et un lyrisme qui n'est pas débordement incontrôlé de la subjectivité mais irruption péremptoire de la « vision », sont indissolublement liés dans sa démarche, seule la tension née de leurs exigences contrastées maintient l'équilibre paradoxal dont chacune de ses créations tire sa dramatique intensité.

« *Les* mots *de la peinture ne peuvent être que massifs, de sens entier, exprimant plus une* notion *qu'une* qualité. *Ainsi, dans la langue parlée, les mots de ciel, mer, rocher, rue, table, pain, porte, maison... fixent-ils en quelque sorte l'espèce. Points fixes qui peuvent entrer sans ambiguïté dans une équation et y revêtir toutes les qualités possibles. Car de tels mots-notions, on en mettra deux ou dix ensemble. De leur présence, de leurs diverses contiguïtés naîtra un rapport. Ce rapport — écart bref ou immense entre deux notions exactes affrontées (ou confrontées) — c'est précisément cela que découvre l'artiste, que proclame le poète, que crée l'inspiré. C'est comme une lumière, un éclair : c'est une révélation, un choc. Telle est la raison même d'exister de l'homme qui a pouvoir de créer. »*

Taureau VIII - huile sur toile - 1954.

C'est que, pour Le Corbusier, « mesure » et « lyrisme » sont deux voies ou deux moments non pas contradictoires, mais complémentaires, d'une même approche de ce qu'il appelle la biologie, par quoi il entend le jeu non contrarié des lois de la vie. C'est en fin de compte de l'ambiguïté de cette dernière notion que découlent les équivoques de l'entreprise littéraire par laquelle il a cherché à rendre un compte logique de ses intuitions de visionnaire et de son faire de créateur: une exégèse approfondie de sa pensée demanderait que soient élucidés un à un les sens multiples qu'il donne à ce mot. A la fois mécanisme contraignant et spontanéité inventive, la « vie » lie l'homme à la nature même lorsqu'elle permet, voire apparemment exige — comme c'est le cas dans le monde urbanisé de la société machiniste — qu'il s'en éloigne. C'est en tout cas dans la « vie » que Le Corbusier voit l'instance suprême de tout acte d'organisation de l'espace occupé par l'homme, la seule à laquelle il reconnaisse le droit de juger son œuvre. Encore, là aussi, son attitude est-elle ambiguë. Quand il était par exemple question devant lui des transformations apportées par leurs occupants successifs aux maisons de Pessac, transformations que, suivant ses goûts, le visiteur trouve sacrilèges ou accusatrices (elles prouvent en tout cas l'extraordinaire souplesse de ces toutes premières « machines à habiter »), Le Corbusier se contentait de répliquer, d'une phrase qui revenait souvent sur ses lèvres: « La vie a toujours raison. » Résignation, aveu voilé de défaite ou, au contraire, certitude confiante que la vie, toujours, lui donnerait raison? Simplement, sans doute, attente sereine du verdict d'un juge qu'il savait incorruptible.

Il ne saurait être du propos de ce petit livre de devancer ce verdict.

On ne trouvera pas, dans le tableau ci-dessous, une chronologie complète de l'histoire de l'architecture au xxe siècle, ni même de la vie de Le Corbusier, mais uniquement le rappel de dates et de faits dont le rapprochement semble utile à l'intelligence du mouvement de son œuvre.

DATES	CHRONOLOGIE GÉNÉRALE	BIOGRAPHIE ET PROJETS* LE CORBUSIER
1880	Gustave Eiffel: Viaduc de Garabit (1880-1884) * Guillaume Apollinaire, Franz Marc, Bruno Taut	
1881	* Picasso, Léger, Gleizes, Larionov	
1882	* Braque, Boccioni, Hugo Häring	
1883	* Walter Gropius, Theo van Doesburg	
1884	* Antoine Pevsner	
1885	Antoni Gaudí: Palais Güell, Barcelone (1885-1889) H.H. Richardson: Grands magasins Marshall Field, Chicago (1885-1887) * Robert Delaunay, Henri Laurens, Vladimir Tatlin	
1886	* Amédée Ozenfant, Robert Mallet-Stevens, Ludwig Mies van der Rohe, Ernst May † H.H. Richardson	
1887	Gustave Eiffel: la «Tour de 300 mètres au Champ-de-Mars» (1887-1889) * Blaise Cendrars, Juan Gris, Marcel Duchamp, Jean Arp, Kurt Schwitters, August Macke, Marc Chagall, Erich Mendelsohn	Naissance, le 6 octobre, à La Chaux-de-Fonds, de Charles-Edouard Jeanneret-Gris, descendant d'une famille d'émailleurs de boîtiers de montres et de musiciens, de lointaine origine albigeoise
1888	F.L. Wright entre à l'atelier de Louis Sullivan (1888-1893) * Gerrit Thomas Rietveld, Antonio Sant'Elia, Hans Richter, Tristan Tzara, Giorgio de Chirico	
1889	Exposition Universelle, Paris (la Tour Eiffel, la Galerie des Machines) Burnham et Root: Monadnock Building, Chicago Camillo Sitte: *Der Städtebau nach seinen künstlerischen Grundsätzen*, Vienne * Hannes Meyer	
1890	* J.J.P. Oud, Naum Gabo, Eliezer Lissitzky	
1891	* Pierluigi Nervi, Gio Ponti, Max Ernst	
1892	* André Lurçat, Richard Neutra	
1893	* Hans Scharoun	
1894	Anatole de Baudot: Saint Jean de Montmartre, Paris Louis H. Sullivan: Guaranty Building, Buffalo	
1895	* Laszlo Moholy-Nagy, Buckminster Fuller	
1896	Victor Horta: Palais du Peuple, Bruxelles (1896-1899) * Pierre Jeanneret, Frederick Kiesler	
1897	H.P. Berlage: Bourse d'Amsterdam (1897-1903)	* en petites majuscules dans la colonne

DATES	CHRONOLOGIE GÉNÉRALE	BIOGRAPHIE ET PROJETS LE CORBUSIER
1898	Hector Guimard: Castel Béranger, Paris (1898-1899) Auguste Choisy: *Histoire de l'Architecture*, 2 vols, Paris Ebenezer Howard: *To morrow: a Peaceful Path to Real Reform*, Londres * J.H. van den Broek	
1899	Sullivan et Adler: Grands Magasins Carson, Pirie & Scott, Chicago Astruc: Notre-Dame-du-Travail, Paris (1899-1901) * Maxwell Fry, Edoardo Torroja	
1900	Exposition Universelle, Paris Hector Guimard: entrées du Métro, Paris François Hennebique: immeuble 1, rue Danton, Paris Antoni Gaudí: Parc Güell, Barcelone (1900-1914)	Etudes de gravure à l'Ecole d'Art de La Chaux-de-Fonds. Influence du peintre Charles L'Eplattenier, ouvert aux recherches de l'Art Nouveau, qui oriente son élève vers l'architecture
1901	Henry van de Velde prend la direction des Ecoles d'Art de Weimar F.L. Wright: projet de Prairie House Julien Guadet, *Eléments et Théorie de l'Architecture*, Paris, 4 vols (1901-1904) * Jean Prouvé, Konrad Wachsmann, Lou Kahn	
1902	Auguste Perret: immeuble 25 bis, rue Franklin, Paris Henry van de Velde: Musée Folkwang, Hagen Camillo Sitte: *L'Art de bâtir les villes* (trad. franç.), Paris * José Luis Sert, Lucio Costa, Alfred Roth, Arne Jacobsen	Médaille à l'Exposition des Arts Décoratifs de Turin pour un boîtier de montre gravé dans l'esprit de l'Art Nouveau
1903	Unwin et Parker: cité-jardin de Letchworth	
1904	Otto Wagner: Caisse d'épargne postale, Vienne F.L. Wright: Larkin Building, Buffalo Tony Garnier: *La Cité Industrielle* (1901-1904) H. Muthesius: *Das englische Haus*, Berlin (1904-1905) * Giuseppe Terragni	
1905	Frantz Jourdain: Grands Magasins de la Samaritaine, Paris Josef Hoffmann: Palais Stoclet, Bruxelles (1905-1911) Robert Maillart: pont sur le Rhin antérieur, Tavanasa (Grisons) * Kunio Maekawa	Création, à l'Ecole d'Art de La Chaux-de-Fonds, du Cours supérieur de décoration dont la direction est confiée à L'Eplattenier Première construction à La Chaux-de-Fonds (maison Fallet), qui sera suivie de plusieurs autres jusqu'en 1916 (maison Schwob). Ces constructions ne seront pas incluses dans la publication de l'*Œuvre complète*
1906	Auguste Perret: Garage Ponthieu, Paris François Le Cœur: ateliers d'artistes, rue Cassini, Paris	
1907	Gropius, chef d'agence chez Peter Behrens, qui vient d'être nommé architecte et conseiller artistique de l'AEG (Allgemeine Elektricitäts-Gesellschaft) Fondation du *Deutscher Werkbund* Adolf Loos: Kärtner Bar, Vienne Eugène Freyssinet: ponts du Veurdre et de Boutiron Picasso: *Les demoiselles d'Avignon* * Oscar Niemeyer	Premiers voyages: Italie du Nord, Toscane (découverte de la Chartreuse d'Ema), Ravenne, Budapest, Vienne, où il passe six mois chez Josef Hoffmann, chef de file de la Sécession viennoise, qui vient de créer (1903) les *Wiener Werkstätten*. Il a connaissance des idées d'Adolf Loos

DATES	CHRONOLOGIE GÉNÉRALE	BIOGRAPHIE ET PROJETS LE CORBUSIER
1908	Mies van der Rohe entre à l'agence Behrens Peter Behrens: atelier de montage des turbines de l'AEG (Turbinenhalle), Berlin Adolf Loos: *Ornament und Verbrechen*, Vienne Berlage: *Grundlagen und Entwicklung der Architektur*, conférences faites à Zurich, éditées à Rotterdam/Berlin * Max Bill	Premier séjour à Paris, où il se présente entre autres à Eugène Grasset, qui lui conseille d'aller voir Auguste Perret A Lyon, visite à Tony Garnier
1909	T. Garnier: Abattoirs de La Mouche, Lyon (1909-1913) Cité-jardin de Hellerau, près de Dresde F.L. Wright: Maison Robie, Chicago Marinetti: premier manifeste futuriste	Deuxième séjour à Paris. Quinze mois à l'atelier Perret (février 1908-fin 1909)
1910	Gropius quitte Behrens Expositions F.L. Wright à Berlin, d'art islamique à Munich Fondation de *Der Sturm* Perret: Théâtre des Champs-Elysées, Paris (1910-1913) Loos: Maison Steiner, Vienne Cubisme analytique * Eero Saarinen, Felix Candela	Avril 1910-mai 1911, mission de l'Ecole d'Art de La Chaux-de-Fonds pour étudier le mouvement d'art décoratif en Allemagne. A Berlin, il passe cinq mois à l'atelier Behrens, où il rencontre Gropius et Mies van der Rohe. Contacts avec les milieux du *Deutscher Werkbund* et des *Deutsche Werkstätten* (à Munich, Theodor Fischer; à Berlin, Hermann Muthesius et Peter Behrens; à Dresde, Wolf Dohrn et Heinrich Tessenow; à Hagen, Karl-Ernst Osthaus). Visite à la cité de Hellerau, où son frère Albert, musicien, collabore avec Jaques-Dalcroze, qui y a installé son école de rythmique
1911	Mies van der Rohe quitte Behrens et s'installe pour un an en Hollande (projet de maison pour Mme Kröller, Otterlo) Gropius: Usine Fagus, Alfeld/Leine Georges Benoît-Lévy: *La cité-jardin*, 3 vols, Paris	Voyage de sept mois en Europe Centrale et dans les Balkans, en compagnie de son ami August Klipstein: Vienne, le Danube, Budapest, la Roumanie, la Turquie (Constantinople, Brousse), la Grèce (Mont-Athos, Athènes), Naples, Pompéi, Rome, Florence Ses impressions de voyage, rédigées pour la *Feuille d'avis de La Chaux-de-Fonds,* paraîtront en volume en 1966 *(Voyage d'Orient)* Création, à l'Ecole d'Art de La Chaux-de-Fonds, de la Nouvelle Section, dirigée par L'Eplattenier
1912	Expositions: *Section d'Or, Futuristes Italiens*, Paris; *Blauer Reiter*, Munich; *Sonderbund*, Cologne François Le Cœur: Central téléphonique Bergère, Paris Henri Sauvage: immeuble à gradins, rue Vavin, Paris Max Berg: Jahrhunderthalle, Breslau (1912-1913) Gleizes et Metzinger: *Du cubisme*, Paris	Enseigne l'architecture et le mobilier à la Nouvelle Section de l'Ecole d'Art de La Chaux-de-Fonds (1912-1913) *Etude sur le mouvement d'art décoratif en Allemagne*, La Chaux-de-Fonds Séjours à Paris. Expose au Salon d'Automne une suite d'aquarelles de voyages (1907-1913) sous le titre: *Langage de pierres*
1913	Fondation du *Schweizerischer Werkbund* F.L. Wright: restaurant des Midway Gardens, Chicago Patrick Geddes: *Cities in Evolution* Traduction française de *Ornement et Crime* d'Adolf Loos * Kenzo Tange	
1914	Exposition du *Deutscher Werkbund*, Cologne (Bruno Taut: Pavillon de verre - Gropius et Adolf Meyer: Usine modèle - Van de Velde: Théâtre) Sant'Elia: *Manifesto dell'Architettura Futurista,* Florence * Jakob B. Bakema	Directeur des *Ateliers d'Art Réunis*, qui réalisent plusieurs ensembles décoratifs dans la région de La Chaux-de-Fonds BREVET DOM-INO

DATES	CHRONOLOGIE GÉNÉRALE	BIOGRAPHIE ET PROJETS LE CORBUSIER
1915	Malevitch: *Carré noir* (1913 ou 1915)	
1916	Freyssinet: Hangars pour dirigeables, Orly (1916-1924) F.L. Wright: Imperial Hotel, Tokyo (1916-1922) Anatole de Baudot: *L'Architecture et le béton armé*, Paris	Construit sa dernière maison à La Chaux-de-Fonds (maison Schwob) VILLA AU BORD DE LA MER POUR PAUL POIRET
1917	Fondation de la revue *De Stijl*, Leyde (1917-1931) Dada à Zurich J.J.P. Oud: Front de mer, Scheveningen	S'installe définitivement à Paris 20, rue Jacob, où il restera dix-sept ans. En visite à l'atelier Perret, y fait la connaissance d'Amédée Ozenfant
1918	*Arbeitsrat für Kunst*, Berlin * Paul Rudolph † Otto Wagner	Premiers tableaux. Première exposition accompagnée du manifeste du purisme: *Après le Cubisme*, avec Ozenfant
1919	Fond. de la revue *Wendingen*, Amsterdam (1919-1925) Gropius fonde le Bauhaus, Weimar *Novembergruppe*, Berlin Mies: projets de gratte-ciel de verre (1919-1922) Tatlin: projet de monument «à la IIIe Internationale» (1919-1920)	MAISONS INDUSTRIALISÉES POUR TROYES
1920	Passage à Paris de Van Doesburg Erich Mendelsohn: Tour Einstein, Potsdam Piet Mondrian: *Le Néo-Plasticisme*, Paris Naum Gabo et Antoine Pevsner: *Manifeste constructiviste*, Moscou	Avec Amédée Ozenfant et Paul Dermée, fonde *L'Esprit Nouveau - revue d'esthétique* (après quelques numéros: *L'Esprit Nouveau, revue de l'activité contemporaine*) dont 28 livraisons paraissent de 1920 à 1925 Signe du nom d'un ancêtre «Le Corbusier-Saugnier» une suite d'articles réunis en volume *(Vers une architecture)* MAISON CITROHAN Nº 1 - MAISONS MONOL
1921	Van Doesburg donne des conférences à Weimar où il résidera la plupart du temps jusqu'en 1923 Theo van Doesburg: *Classique-Baroque-Moderne*, Paris Adolf Loos: *Ins Leere gesprochen 1897-1900*, Paris † François Hennebique	Exposition à la Galerie Druet. Le Corbusier et Ozenfant conseillent Raoul La Roche lors des ventes Kahnweiler, lui permettant ainsi de constituer sa collection de tableaux cubistes
1922	Auguste Perret: église du Raincy (1922-1923) El Lissitzky publie la revue «*Vechtch*» (*L'Objet*), Berlin Malevitch commence la rédaction de *Suprématisme* (1922-1924) paru en 1927 en trad. allemande dans les *Bauhausbücher* sous le titre *Die gegenstandslose Welt* Exposition d'art russe contemporain, Berlin	Fonde une agence d'architecture avec son cousin Pierre Jeanneret qui restera son associé jusqu'en 1940. Installe son atelier dans un couloir du couvent des Jésuites 35, rue de Sèvres, où il restera jusqu'à sa mort Expose au Salon d'Automne (maison Citrohan, Ville contemporaine) et au Salon des Indépendants MAISON CITROHAN Nº 2, IMMEUBLE-VILLAS, UNE VILLE CONTEMPORAINE POUR 3 000 000 D'HABITANTS
1923	Exposition de projets d'architecture néo-plasticiste à la Galerie Léonce Rosenberg, Paris (exposition présentée ensuite à Nancy et en 1924 à Weimar) Adolf Loos s'installe à Paris (1923-1928) Semaine du Bauhaus, Weimar Laszlo Moholy-Nagy entre au Bauhaus Gropius: *Idee und Aufbau des staatlichen Bauhauses* Mendelsohn: *Dynamik und Funktion*, conférence à Amsterdam Mies van der Rohe, H. Richter et W. Graeff publient la revue: *G - Material zur elementaren Gestaltung*, Berlin	Exposition de peintures à la Galerie Léonce Rosenberg *Vers une Architecture* (coll. de *L'Esprit Nouveau*)

DATES	CHRONOLOGIE GÉNÉRALE	BIOGRAPHIE ET PROJETS LE CORBUSIER
1923	Albert Gleizes: *La peinture et ses lois; ce qui devait sortir du cubisme* † Gustave Eiffel	
1924	Concours pour la construction du gratte-ciel de la *Chicago Tribune* G.T. Rietveld: Maison Schröder, Utrecht J.J.P. Oud: logements populaires, Hoek van Holland Premiers sièges en tubes d'acier (Marcel Breuer, Mart Stam, Mies van der Rohe) † Louis H. Sullivan	Premier volume de l'*Œuvre complète*, publiée par Jean Badovici aux Editions Albert Morancé (coll. de l'Architecture vivante). La publication sera interrompue en 1938, après le huitième volume (*Œuvre plastique*) LA MAISON STANDARDISÉE - MAISONS POUR ARTISANS
1925	Exposition Internationale des Arts Décoratifs, Paris Sous la pression des partis de droite, transfert du Bauhaus de Weimar à Dessau, dans de nouveaux bâtiments construits par Gropius (1925-1926) J.J.P. Oud: quartier Kiefhoek, Rotterdam (1925-1930) Premiers volumes de la série des *Bauhausbücher* El Lissitzky et Hans Arp: *Die Kunstismen*, Berlin Martin Wagner, chef des services d'architecture de Berlin	*L'Esprit Nouveau* cesse de paraître. Brouille avec Ozenfant A l'atelier: P. A. Emery *La peinture moderne* (avec Ozenfant), *L'art décoratif d'aujourd'hui*, *Urbanisme* (tous dans la coll. de *L'Esprit Nouveau*) PLAN VOISIN POUR PARIS VILLA POUR MME MEYER CITÉ UNIVERSITAIRE
1926	Adolf Loos: maison Tristan Tzara, Paris Robert Mallet-Stevens: rue Mallet-Stevens, Paris André Lurçat: maison Guggenbühl, Paris (1926-1927) Theo van Doesburg, Sophie Taeuber et Jean Arp: décorations de l'*Aubette*, Strasbourg (1926-1928) Eileen Gray et Jean Badovici: villa, Cap-Martin Piet Mondrian: *Le home, la rue, la cité*, Paris Adolf Behne: *Der moderne Zweckbau*, Munich *Der Ring*, groupement d'architectes modernes, Berlin Ernst May: quartier Römerstadt, Francfort (1926-1928) † Antoni Gaudí (1926)	Mort du père de Le Corbusier *Almanach d'Architecture moderne* (coll. de *L'Esprit Nouveau*) MAISONS MINIMUM
1927	Exposition internationale du *Werkbund*, Stuttgart (cité du Weissenhof) Erich Mendelsohn: grands magasins à Breslau, Chemnitz, Stuttgart Mattè Trucco: usines Fiat, Turin Buckminster Fuller: première maison Dymaxion	Scandale du concours pour le Palais de la SDN, Genève PALAIS DE LA SDN, GENÈVE
1928	Premier Congrès International d'Architecture moderne (CIAM), château de La Sarraz (près Lausanne) Gropius abandonne la direction du Bauhaus, Hannes Meyer lui succède H. Meyer: école de cadres de la Confédération générale des Syndicats allemands, Bernau/Berlin (1928-1930) 1re Exposition italienne d'*Architecture rationnelle*, Rome Brinkmann, van der Vlugt et Mart Stam: usine Van Nelle, Rotterdam (1928-1930) Rudolf Steiner: *Goetheanum*, Dornach (près de Bâle) Clarence Stein: cité-jardin de Radburn, New Jersey Amédée Ozenfant: *Art*, Paris S. Giedion: *Bauen in Frankreich, Eisen, Eisenbeton*, Leipzig	Tournée de conférences en Amérique du Sud Voyage à Moscou A l'atelier: Alfred Roth En peinture, début de la période des « objets à réaction poétique » Fernand Léger fait à Berlin une conférence sur Le Corbusier Violent pamphlet de l'architecte genevois Alexandre de Senger: *Le Cheval de Troie du bolchévisme*, Bienne IMMEUBLES WANNER, GENÈVE

DATES	CHRONOLOGIE GÉNÉRALE	BIOGRAPHIE ET PROJETS LE CORBUSIER
1929	Deuxième Congrès International d'Architecture Moderne, Francfort (*Die Wohnung für das Existenzminimum*, Stuttgart 1930) Mies van der Rohe: Pavillon allemand à l'Exposition internationale de Barcelone Alvar Aalto: Sanatorium, Paimio, Finlande (1929-1934) Richard Neutra: maison Lovell, Los Angeles Theo van Doesburg: maison à Meudon (1929-1931) Bruno Taut: *Die neue Baukunst in Europa und Amerika*, Stuttgart (rédigé en 1924)	Premier voyage à Alger A l'atelier: Kunio Maekawa, J.L. Sert Premier volume de l'édition de Zurich de l'*Œuvre complète* par Walter Boesiger (publication achevée en sept volumes, le dernier paru en 1965) MAISON POUR MR. X, BRUXELLES MAISONS LOUCHEUR MUNDANEUM ET CITÉ MONDIALE, GENÈVE
1930	Troisième Congrès International d'Architecture Moderne, Bruxelles (*Rationelle Bebauungsweisen*, Stuttgart 1931) Mies van der Rohe succède à Hannes Meyer à la direction du Bauhaus Section allemande, organisée par le *Werkbund* et aménagée par Gropius et Moholy-Nagy, au Salon des Artistes Décorateurs, Paris H. Meyer et E. May s'installent en Union Soviétique Mies van der Rohe: maison Tugendhat, Brno G. Pingusson: hôtel, Saint-Tropez (1930-1933) G.A. Platz: *Die Baukunst der neuesten Zeit* A. Sartoris: *Gli Elementi dell'Architettura razionale*, Milan	Le Corbusier prend la nationalité française. Il épouse Yvonne Gallis. En peinture, apparition de la figure humaine Participe à *Cercle et Carré* A l'atelier: Charlotte Perriand, Brechbühler *Précisions sur un état présent de l'architecture et de l'urbanisme* (coll. de *L'Esprit Nouveau*) PLAN D'URBANISME POUR ALGER (PLAN A)
1931	2e Exposition italienne d'*Architecture rationnelle*, Rome Pierre Chareau et Bijvoet: maison du Dr Dalsace, Paris Fondation de la revue *L'Architecture d'aujourd'hui*, Paris André Lurçat: groupe scolaire Karl-Marx, Villejuif Rockefeller Center, New York † Theo van Doesburg	Collabore à la revue *Plans* (1931-1932) A l'atelier: J. Bossu, G. Kepes, Sakakura, O. Senn Le pamphlet d'Alexandre de Senger, traduit en allemand (*Die Brandfackel Moskaus*), devient un des textes de base de la campagne nazie contre l'architecture moderne MUSÉE D'ART CONTEMPORAIN, PARIS PALAIS DES SOVIETS, MOSCOU MAISON ERRAZURIS, CHILI
1932	Transfert du Bauhaus de Dessau à Berlin Bruno Taut part pour l'Union Soviétique Giuseppe Terragni: Maison du Peuple, Côme Sièges de bois plié d'Alvar Aalto Exposition d'architecture moderne internationale, Musée d'Art moderne, New York H.R. Hitchcock et Philip Johnson: *The International Style: Architecture since 1922*, New York Premiers manifestes des *Structural Study Associates*, rédigés par Buckminster Fuller	Louis Hourticq, de l'Institut, et Umbdenstock, professeur aux Beaux-Arts et à l'Ecole Polytechnique, organisent une réunion publique Salle Wagram pour dénoncer l'influence pernicieuse de Le Corbusier RENTENANSTALT, ZURICH
1933	Fermeture du Bauhaus par la police Mendelsohn quitte l'Allemagne Bruno Taut quitte l'Union Soviétique pour le Japon Beaudouin et Lods: cités de La Muette, Drancy, et du Chant des Oiseaux, Bagneux Emil Kaufmann: *Von Ledoux bis Le Corbusier*, Vienne † Adolf Loos	Collabore à la revue *Préludes* *Croisade, ou le crépuscule des académies* (coll. de *L'Esprit Nouveau*) Camille Mauclair publie *L'Architecture va-t-elle mourir?*, dans lequel il attaque violemment Le Corbusier A l'atelier: L. Miquel LOTISSEMENT MACIA, BARCELONE LOTISSEMENT DURAND, ALGER IMMEUBLE LOCATIF, ALGER URBANISME DE LA RIVE GAUCHE DE L'ESCAUT, ANVERS

DATES	CHRONOLOGIE GÉNÉRALE	BIOGRAPHIE ET PROJETS LE CORBUSIER
1934	Quatrième Congrès International d'Architecture Moderne, à bord du « Patris », entre Marseille et Athènes *(La Charte d'Athènes)* Gropius quitte l'Allemagne Hannes Meyer et Ernst May quittent l'Union Soviétique F. L. Wright: première *maison usonienne* (maison Willey, Minneapolis) † H.P. Berlage	Prend une part importante à la rédaction de la *Charte d'Athènes* des CIAM PLANS D'URBANISME POUR ALGER (PLANS B ET C) PLAN D'URBANISME POUR NEMOURS (ALGÉRIE) FERME RADIEUSE
1935	Alfred Roth et Marcel Breuer: maisons au Doldertal, Zurich (1935-1936) † Malevitch	Premier voyage aux Etats-Unis, sur l'invitation du Museum of Modern Art de New York Peintures murales à Vézelay (maison Badovici) Exposition d'art dit primitif, organisée par Louis Carré dans l'atelier 24, rue Nungesser-et-Coli *La Ville Radieuse* (coll. de l'Equipement de la Société Machiniste, Ed. de l'Architecture d'Aujourd'hui) *Air Craft*, Londres DEUX MUSÉES D'ART MODERNE, PARIS PLANS D'URBANISME POUR HELLOCOURT (FRANCE) ET LA VALLÉE DE ZLIN (TCHÉCOSLOVAQUIE)
1936	Alvar Aalto: usine de pâte à papier, Sunila, Finlande (1936-1939) F.L.Wright: maison Kaufman, *Falling Water*, Bear Run, Penn., et bureaux de la Johnson Wax Company, Racine N. Pevsner: *Pioneers of the Modern Movement, from William Morris to Walter Gropius*, Londres	Deuxième voyage en Amérique du Sud ILOT INSALUBRE Nº 6, PARIS PLAN DE PARIS 37 UNITÉ D'HABITATION BASTION KELLERMANN, PARIS CITÉ UNIVERSITAIRE, RIO DE JANEIRO
1937	Cinquième Congrès International d'Architecture Moderne, Paris *(Logis et Loisirs*, Paris 1938) Exposition Internationale, Paris Mies quitte l'Allemagne et s'installe à Chicago Gropius professeur à Harvard Beaudouin, Lods et Prouvé: Maison du Peuple, Clichy	*Quand les cathédrales étaient blanches, voyage au pays des timides* CENTRE DE RÉJOUISSANCES POUR 100 000 PERS., PARIS MONUMENT VAILLANT-COUTURIER, VILLEJUIF PROJET POUR UNE EXPOSITION DE L'EAU A LIÈGE EN 1939
1938	Pierluigi Nervi: hangars d'Orbetello Lewis Mumford: *The Culture of Cities*, New York † Bruno Taut	Peintures murales à Cap-Martin (maison Badovici) Exposition de l'œuvre plastique, Kunsthaus, Zurich *Des canons, des munitions? Merci! des logis... s.v.p.!* PALAIS DE JUSTICE, ALGER GRATTE-CIEL DE LA MARINE, ALGER GRATTE-CIEL CARTÉSIEN VILLAGE COOPÉRATIF PLAN DIRECTEUR POUR BUENOS AIRES PAVILLON FRANÇAIS POUR UNE EXPOSITION INTERNATIONALE
1939	Exposition Internationale, New York Robert Le Ricolais professeur à l'Université de Pennsylvanie	*Le lyrisme des temps nouveaux et l'urbanisme* A l'atelier: A. Wogenscky MUSÉE A CROISSANCE ILLIMITÉE MAISON CLARKE-ARUNDELL AMÉNAGEMENT DE LA VALLÉE DE VARS
1940	† Robert Maillart	MAISONS POUR LANNEMEZAN MAISONS M.A.S. (MONTAGE A SEC) CONSTRUCTIONS MURONDINS - ECOLES VOLANTES

DATES	CHRONOLOGIE GÉNÉRALE	BIOGRAPHIE ET PROJETS LE CORBUSIER
1941	Erich Mendelsohn s'installe aux Etats-Unis Siegfried Giedion: *Space, Time and Architecture*, Cambridge, Mass. † Robert Delaunay, El Lissitzky	*Destin de Paris - Sur les Quatre Routes*
1942	Mies van der Rohe: premiers bâtiments de l'Illinois Institute of Technology, Chicago J.L. Sert: *Can Our Cities Survive?*, Cambridge, Mass.	Début de l'élaboration du Modulor *Les constructions Murondins* *La Maison des Hommes* (avec François de Pierrefeu) GRATTE-CIEL DE LA MARINE, ALGER (PROJET B) PLAN DIRECTEUR POUR ALGER
1943	† Giuseppe Terragni	Fonde l'Assemblée de Constructeurs pour une Rénovation architecturale (ASCORAL) *La Charte d'Athènes* (avec une préface de J. Giraudoux) *Entretien avec les étudiants des écoles d'architecture* LA CITÉ LINÉAIRE INDUSTRIELLE L'USINE VERTE
1944	† Piet Mondrian, Aristide Maillol	A l'atelier: Aujame UNITÉ D'HABITATION TRANSITOIRE
1945		Exposition itinérante aux USA, organisée par le Walker Art Center, Minneapolis *Manière de penser l'Urbanisme* A l'atelier: Soltan PLAN DE RECONSTRUCTION POUR SAINT-DIÉ
1946	Gropius fonde *The Architects Collaborative* (TAC) Mies van der Rohe: maison Farnsworth, Fox River, Illinois (1946-1951)	*Les Trois Etablissements Humains - Propos d'urbanisme* A l'atelier: Vl. Bodiansky, G. Candilis PLAN DE RECONSTRUCTION POUR LA ROCHELLE-PALLICE
1947	Sixième Congrès International d'Architecture Moderne, Bridgwater, Angleterre	Séjour à New York comme membre de la commission d'architectes pour la construction du siège de l'ONU Peinture murale dans l'atelier de la rue de Sèvres SIÈGE DE L'ONU, NEW YORK
1948	F.L. Wright: première maison circulaire (maison Herbert Jacobs Nº 2, Middleton) Siegfried Giedion: *Mechanization takes Command*, New York	Mise au point du Modulor Peinture murale au Pavillon Suisse, Cité Universitaire Sculptures sur bois avec Joseph Savina Exposition itinérante aux USA, organisée par l'Institute of Contemporary Art, Boston *New World of Space*, New York LIEU DE PÈLERINAGE A LA SAINTE-BAUME
1949	Walter Gropius (TAC): Graduate Center, Université Harvard, Cambridge, Mass.	A l'atelier: S. Woods, I. Xenakis HABITAT DE VACANCES ROB ET ROQ, CAP-MARTIN
1950	Arne Jacobsen: maisons en bande à redents, Klampenborg, Danemark Miquel et Bourlier: Aérohabitat, Alger	*Le Modulor - Poésie sur Alger* PLAN-PILOTE POUR BOGOTA
1951	Huitième Congrès International d'Architecture Moderne, Hoddesdon, Angleterre Candilis, Woods et ATBAT-Afrique: habitat arabe, Casablanca	Nommé architecte-conseil du gouvernement du Pendjab pour la construction de la nouvelle capitale, Chandigarh Etudes pour le barrage du Chastang à la demande de l'ingénieur André Coyne

DATES	CHRONOLOGIE GÉNÉRALE	BIOGRAPHIE ET PROJETS LE CORBUSIER
1951		Cartons de tapisseries, avec Pierre Baudouin Sculptures sur sable chez C. Nivola, à Long Island A l'atelier: A. Maisonnier QUARTIER ROTTERDAM, STRASBOURG
1952	Breuer, Nervi, Zehrfuss: UNESCO, Paris (1952-1957) Mies van der Rohe: Crown Hall, Illinois Institute of Technology, Chicago Skidmore, Owings & Merrill: Lever House, New York	En peinture, début de la série des *Taureaux* LA MAISON DU PÉON, CHANDIGARH URBANISATION DE MARSEILLE-SUD
1953	Neuvième Congrès International d'Architecture Moderne, Aix-en-Provence † Erich Mendelsohn	Exposition de l'œuvre plastique au Musée national d'Art moderne, Paris Violente critique de l'Unité d'habitation par Lewis Mumford dans *The New Yorker (The Marseilles Folly)*
1954	Alison et Peter Smithson: école secondaire, Hunstanton † Auguste Perret, Henri Laurens, Henri Matisse	Exposition à la Kunsthalle, Berne *Une petite maison* (Les Cahiers de la Recherche Patiente), Zurich LA MAIN OUVERTE, CHANDIGARH
1955	Hochschule für Gestaltung, Ulm (bâtiments de Max Bill) Eero Saarinen: Centre technique de la General Motors, Warren; Auditorium Kresge, Massachusetts Institute of Technology, Cambridge Frei Otto: 1re couverture suspendue (Floralies de Cassel) † Fernand Léger	En peinture, première *Icône* *Le Poème de l'Angle Droit* (avec 19 lithographies en couleurs), Paris *Modulor 2* QUARTIER NOUVEAU A MEAUX
1956	Dixième CIAM, Dubrovnik Lucio Costa: plan d'urbanisme de Brasilia London County Council: habitat, Roehampton Estate, Londres (1956 et ss.) F.L. Wright: Musée Guggenheim, New York (1956-1959) Eero Saarinen: bâtiment de la TWA, Aéroport Kennedy, New York (1956-1962) Hans Scharoun: Philharmonie, Berlin (1956-1963) Jörn Utzon: premier projet pour l'Opéra de Sydney † Tatlin	*Les plans Le Corbusier pour Paris 1956-1962* PALAIS DU GOUVERNEUR, CHANDIGARH
1957	Exposition *Interbau*, Berlin (quartier Hansa) Lou Kahn: Centre de Recherches médicales, Université de Pennsylvanie, Philadelphie Marcello d'Olivio: village d'enfants, Trieste-Villa Opicina † Henry van de Velde	Mort d'Yvonne Le Corbusier Exposition rétrospective, Kunsthaus, Zurich Première exposition à La Chaux-de-Fonds (tapisseries, *Le Poème de l'angle droit*)
1958	Exposition Internationale, Bruxelles Mies van der Rohe: Seagram Building, New York Eero Saarinen: stade de glace, Université de Yale, New Haven Pierluigi Nervi: hall d'exposition, Turin Gio Ponti: Tour Pirelli, Milan Belgioioso, Peressutti, Rogers: Tour Vellasca, Milan Buckminster Fuller: dôme géodésique, Union Tank Car Company, Bâton Rouge Yona Friedman: études d'architecture mobile et de structures urbaines à enjambement	*Poème électronique* (musique d'Edgar Varèse) pour le Pavillon Philips à l'Exposition Internationale, Bruxelles MAISONS RURALES MÉTALLIQUES, LAGNY (AVEC JEAN PROUVÉ) RECONSTRUCTION DE BERLIN-CENTRE

DATES	CHRONOLOGIE GÉNÉRALE	BIOGRAPHIE ET PROJETS LE CORBUSIER
1959	Eclatement des Congrès Internationaux d'Architecture Moderne au XIe Congrès, Otterlo Niemeyer: palais gouvernementaux de Brasilia Atelier 5: cité de Halen, Berne Vittoriano Vigano: Institut Marchiondi, Milan Paul Rudolph: section d'art de l'Université de Yale, New Haven Arne Jacobsen: Immeuble SAS, Copenhague Pierluigi Nervi: halls pour les Jeux Olympiques, Rome † F.L. Wright	
1960		*L'Atelier de la Recherche Patiente* *Petites Confidences* (10 lithographies en noir) Mort de la mère de Le Corbusier (à l'âge de 100 ans) CENTRE DE DÉCISIONS ÉLECTRONIQUE, CHANDIGARH
1961	The Sheffield Corporation City Architect's Department: habitat, Park Hill, Sheffield Kallmann, McKinnel et Knowles: projet pour l'hôtel de ville de Boston Jane Jacobs: *The Death and Life of great American Cities*, New York † Blaise Cendrars, Edoardo Torroja	Cartons pour les tapisseries du Palais de Justice de Chandigarh
1962	Frei Otto: *Zugbeanspruchte Konstruktionen*, Berlin † Eugène Freyssinet	Exposition rétrospective au Musée national d'Art moderne, Paris Grande porte de tôle émaillée pour le Parlement de Chandigarh PAVILLON D'EXPOSITION, STOCKHOLM
1963	Kenzo Tange: halls pour les Jeux Olympiques, Tokyo Candilis, Woods et Josic: projet pour l'Université Libre, Berlin R. Simounet: cité universitaire, Tananarive (1963 et ss.) † J.J.P. Oud, Georges Braque	Exposition rétrospective, Palais Strozzi, Florence HOTEL A L'EMPLACEMENT DE LA GARE D'ORSAY, PARIS CENTRE DE CALCUL ÉLECTRONIQUE OLIVETTI, RHO CENTRE D'ART CONTEMPORAIN, ERLENBACH ÉGLISE, FIRMINY
1964	Exposition Nationale Suisse, Lausanne	PALAIS DES CONGRÈS, STRASBOURG
1965	† Frederick Kiesler	Le 27 août, mort subite de Le Corbusier au cours d'une baignade à Cap-Martin HOPITAL, VENISE AMBASSADE DE FRANCE, BRASILIA MUSÉE DU XXe SIÈCLE, NANTERRE
1966	† Amédée Ozenfant	
1967	Exposition Internationale, Montréal, Moshe Shafdie: *Habitat* † Pierre Jeanneret	Ouverture du Centre Le Corbusier, Zurich
1968		Création de la Fondation Le Corbusier, reconnue d'utilité publique, Paris

1916 - Maison Schwob, La Chaux-de-Fonds

1922 - Maison Ozenfant, Paris

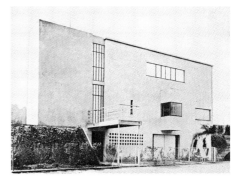

1922 - Villa, Vaucresson

1923 - Maisons La Roche et Jeanneret, Paris

1924 - Maisons Lipchitz et Miestschaninoff,
Boulogne/Seine

1925 - Pavillon de *L'Esprit Nouveau*, Exposition
Internationale des Arts Décoratifs, Paris

1925 - Quartiers modernes Frugès, Bordeaux-
Pessac

1925 - Maison pour ses parents, Corseaux-Vevey

1926 - Maison Ternisien, Boulogne/Seine

1926 - Maison Cook, Boulogne/Seine

1926 - Maison Guiette, Anvers

1926 - Palais du Peuple de l'Armée du Salut, Paris

1927 - Villa Stein, Garches

1927 - Deux maisons, Cité expérimentale du Weissenhof, Stuttgart

1927 - Maison Plainex, Paris

1928 - Stand d'exposition Nestlé, Paris

1929 - Villa, Carthage, Tunisie

1929 - Transformation et agrandissement de la maison Church, Ville-d'Avray

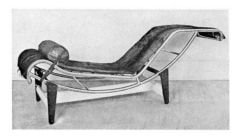

1929 - Chaise de repos, exemple des meubles (sièges et casiers) exposés avec Pierre Jeanneret et Charlotte Perriand au Salon d'Automne

1931 - Villa Savoye, Poissy

1931 - Villa de Mandrot, Le Pradet

1931 - Appartement de Beistegui, Paris

1931 - Asile flottant de l'Armée du Salut, Paris

1932 - Immeuble Clarté, Genève

1932 - Pavillon Suisse, Cité Universitaire, Paris

1933 - Cité-refuge de l'Armée du Salut, Paris

1933 - Immeuble 24, rue Nungesser-et-Coli, Paris

1933 - Appartement et atelier de Le Corbusier 24, rue Nungesser-et-Coli, Paris

1933 - Ministère de l'Industrie légère (aujourd'hui Centrosoyus), Moscou

1935 - Villa, Les Mathes

1935 - Maison de week-end, La Celle-Saint-Cloud

1937 - Pavillon des *Temps Nouveaux*, Exposition Internationale, Paris

1938 - Plans du Ministère de l'Education Nationale, Rio de Janeiro, avec Lucio Costa et Oscar Niemeyer (achevé en 1943)

1940 - Exposition de la France d'Outre-mer, Paris

1949 - Maison du Dr Currutchet, Buenos Aires

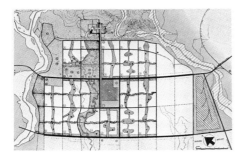

1951 - Plan d'urbanisme, Chandigarh

1952 - Unité d'habitation, Marseille

1952 - Manufacture Duval, Saint-Dié

1952 - Cabanon, Cap-Martin

1953 - Chapelle Notre-Dame-du-Haut, Ronchamp

1953 - Unité d'habitation, Nantes-Rezé

1954 - Siège de l'Union des Filateurs, Ahmedabad

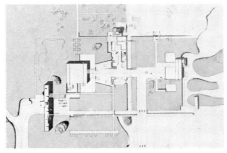

1955 - Plan du Capitole, Chandigarh

1955 - Maison Sarabhai, Ahmedabad

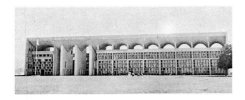

1956 - Palais de Justice, Chandigarh

1956 - Maison Shodan, Ahmedabad

1957 - Musée, Ahmedabad

1957 - Maisons Jaoul, Neuilly/Seine

1958 - Unité d'habitation, Berlin

1958 - Pavillon Philips, Exposition Internationale, Bruxelles

1958 - Secrétariat, Chandigarh

1959 - Couvent Sainte-Marie-de-La-Tourette, Eveux

1959 - Musée d'Art occidental moderne, Tokyo

1959 - Maison du Brésil, Cité Universitaire, Paris

1959 - Unité d'habitation, Briey-en-Forêt

1961 - Palais de l'Assemblée, Chandigarh

1964 - Visual Arts Center, Université Harvard,
Cambridge

1965 - Maison de la Culture, Firminy

1967 - Pavillon d'exposition, Zurich

1968 - Unité d'habitation, Firminy

Villa Savoye
Chemin de Villiers

Maisons Jaoul
83, Rue de Longchamp, Neuilly-sur-Seine

Armée du Salut, Cité de Refuge
12, Rue Cantagrel

POISSY

SAINT-GERMAIN

PARIS

Maisons La Roche et Jeanneret
8-10, Square du Docteur-Blanche

Villa Stein
17, Rue du Prof.-Victor-Pauchet, Garches

Maison Ozenfant
53, Avenue Reille

Maison Cook
6, Rue Denfert-Rochereau, Boulogne-sur-Seine

Maison Plainex
Boulevard Masséna

Immeuble
24, Rue Nungesser-et-Coli

Pavillon Suisse et Maison du Brésil
Cité Universitaire
7, Boulevard Jourdan

Armée du Salut, Palais du Peuple
29, Rue des Cordelières

214

INDICATIONS BIBLIOGRAPHIQUES

Tous les ouvrages consacrés à Le Corbusier comportent des bibliographies inégalement développées et qui, selon la date de parution, demandent une mise à jour plus ou moins importante. On peut consulter également: article *Le Corbusier* (Maurice Besset) dans *Enciclopedia Universale dell'Arte*, Venise-Rome 1958, t. VIII; *Le Corbusier, Bibliografia generale* (Carmen Gregotti), Catalogue d'une exposition de livres et de dessins de Le Corbusier, Feltrinelli, Milan-Rome, s.d.

Ces bibliographies se limitent toutes aux livres et numéros spéciaux de revues publiés par Le Corbusier lui-même ou qui lui ont été consacrés. Ce n'est pas le cas pour: *Le Corbusier e l'Italia, rassegna bibliografica* (Italo Insolera, Alberto Samonà, Luisa Fangli), dans *L'Opera di Le Corbusier*, catalogue de l'exposition au Palais Strozzi, Florence 1963, qui donne la bibliographie complète à cette date des traductions italiennes des écrits de Le Corbusier ainsi que des ouvrages et principaux articles de périodiques qui lui ont été consacrés en Italie. Il n'existe à cette date rien de comparable pour les autres pays.

La Fondation Le Corbusier (10, square du Dr Blanche, Paris 16e) prépare une bibliographie complète et serait reconnaissante à toute personne susceptible de lui fournir des indications utiles à cette fin.

Ecrits de Le Corbusier

Premiers ouvrages:

Le Voyage d'Orient, Forces Vives, Paris 1966 (réimpression des articles parus en 1911 dans la *Feuille d'Avis de La Chaux-de-Fonds*). — Charles-Edouard Jeanneret, *Etude sur le mouvement d'art décoratif en Allemagne*, Haefeli & Cie, La Chaux-de-Fonds 1912 (rapport présenté à la Commission de l'Ecole d'art de La Chaux-de-Fonds par Monsieur Ch. E. Jeanneret, architecte, sur les observations qu'il a eu l'occasion de faire en Allemagne durant son séjour d'avril 1910 à mai 1911). — Ozenfant et Jeanneret, *Après le Cubisme*, Editions des Commentaires, Paris 1918.

Collection de « L'Esprit Nouveau »:

L. C., *Vers une architecture*, Crès, Paris 1923 (reproduction photomécanique, Vincent, Fréal & Cie, Paris 1958). — L. C. et Ozenfant, *La Peinture moderne*, Crès, Paris 1925. — L. C., *Urbanisme*, Crès, Paris 1925 (reproduction photomécanique, Vincent, Fréal & Cie, Paris 1966; préface de Jean Cassou). — L. C., *L'Art décoratif d'aujourd'hui*, Crès, Paris 1925 (reproduction photomécanique, Vincent, Fréal & Cie, Paris 1959). — L. C., *Almanach d'Architecture moderne*, Crès, Paris 1926. — L. C., *Une maison, un palais*, Crès, Paris 1928. — L. C., *Précisions sur un état présent de l'architecture et de l'urbanisme, avec un prologue américain, un corollaire brésilien, suivi d'une température parisienne et d'une atmosphère moscovite*, Crès, Paris 1930 (reproduction photomécanique, Vincent, Fréal & Cie, Paris 1960). — L. C., *Croisade, ou le crépuscule des académies*, Crès, Paris 1933.

Publications 1935-1945:

L. C., *Air Craft*, The Studio, Londres 1935. — L. C., *La Ville radieuse*, Editions de l'Architecture d'Aujourd'hui, Boulogne-sur-Seine 1935; réimpression, Vincent, Fréal & Cie, Paris 1964. — L. C., *Quand les cathédrales étaient blanches: Voyage au pays des timides*, Plon, Paris 1937 (édition de poche, Gonthier, Paris 1965). — L. C., *Des canons, des munitions? Merci! Des logis... svp.*, Editions de l'Architecture d'Aujourd'hui, Boulogne-sur-Seine 1938. — L. C., *Le lyrisme des temps nouveaux et l'urbanisme*, Le Point, Colmar 1939. — L. C., *Sur les quatre routes*, N.R.F., Paris 1941. — François de Pierrefeu et L. C., *La maison des hommes*, Plon, Paris 1942. — L. C., *Entretien avec les étudiants des écoles d'architecture*, Denoël, Paris 1943. — Groupe CIAM, France, *Urbanisme des CIAM, La Charte d'Athènes*, avec un discours liminaire de Jean Giraudoux, Plon, Paris 1943. — L. C., *Manière de penser l'urbanisme*, Editions de l'Architecture d'Aujourd'hui, Boulogne-sur-Seine s.d. (1945).

Publications 1945-1965:

L. C., *Les Trois Etablissements humains*, Denoël, Paris 1946. — L. C., *Propos d'Urbanisme*, Bourrelier & Cie, Paris 1946. — L. C., *UN. Headquarter*, Reinhold Publishing Corp., New York 1947. — L. C., *Plan de Buenos Aires 1940, Propositions d'un plan directeur réalisable par étapes*, Arquitectura de Hoy, Buenos Aires 1947. — L. C., *Le Modulor, Essai sur une mesure harmonique à l'échelle humaine, applicable universellement à l'architecture et à la mécanique*, Editions de l'Architecture d'Aujourd'hui, Boulogne-sur-Seine 1948. — L. C., *New World of Space*, Reynal & Hitchcock, New York et The Institute of Contemporary Art, Boston 1948. — L. C., *Poésie sur Alger*, Falaize, Paris 1950. — L. C., *Une petite maison*, Girsberger, Zurich 1954 (Les Carnets de la recherche patiente, Carnet No 1, août 1954). — L. C., *Modulor 2-1955 (La parole est aux usagers)*, suite de *Le Modulor, 1948*, Editions de l'Architecture d'Aujourd'hui, Boulogne-sur-Seine 1955. — L. C., *Le Poème de l'angle droit* (avec 19 lithographies en couleurs et de nombreux dessins), Tériade, Editions Verve, Paris 1955. — L. C., *Von der Poesie des Bauens*, Verlag Die Arche, Zurich 1957. — L. C., *Le poème électronique*, Editions de Minuit, Paris 1958. — L. C., *L'urbanisme des trois établissements humains*, Editions de Minuit, Paris 1959. — L. C., *L'Atelier de la recherche patiente*, préface de Maurice JARDOT, Hatje, Stuttgart 1960. — L. C., *Mise au point*, Forces vives, Paris 1966.

Œuvre complète

(Jean Badovici, éditeur), *L. C. et P. Jeanneret*, 1re série, 1927; 2e série, 1929; 3e série, 1930; 4e série, 1931; 5e série, 1932; 6e série, 1933, collection L'Architecture vivante; 7e série, 1937, collection Encyclopédie de l'Architecture, Albert Morancé, Paris. — L. C. et Pierre JEANNERET, *Œuvre complète 1910-1929*, publiée par W. Boesiger et O. Stonorov, Editions d'Architecture, Erlenbach 1929. — L. C. et Pierre JEANNERET, *Œuvre complète 1929-1934*, publiée par W. Boesiger, Editions d'Architecture, Erlenbach 1935. — L. C. et Pierre JEANNERET, *Œuvre complète 1934-1938*, publiée par Max Bill, Editions d'Architecture, Erlenbach 1939. — L. C., *Œuvre complète 1938-1946*, publiée par W. Boesiger, Editions d'Architecture, Erlenbach 1946. — L. C., *Œuvre complète 1946-1952*, publiée par W. Boesiger, Girsberger, Zurich 1953. — L. C. et son atelier rue de Sèvres 35, *Œuvre complète 1952-1957*, publiée par W. Boesiger, Girsberger, Zurich 1958. — L. C. et son atelier rue de Sèvres 35, *Œuvre complète 1957-1965*, publiée par W. Boesiger, Girsberger, Zurich 1965. — (Boesiger et Girsberger, éditeurs), *L. C. 1910-1960*, Girsberger, Zurich 1960. — (Boesiger et Girsberger, éditeurs), *L. C. 1910-1965*, Girsberger, Zurich 1967.

Œuvre plastique

L. C., *Œuvre plastique, Peintures et Dessins, Architecture*, Albert Morancé, Paris 1938. — Maurice JARDOT, *L. C., dessins*, Editions des Deux-Mondes, Paris 1955. — L. C., *Œuvre lithographique*, présentée par E. Waeber, Bodmer, Zurich 1967. — L. C., *Dessins*, Forces Vives, Paris 1968.

Monographies

Edifices et projets divers

Alfred ROTH, *Zwei Wohnhäuser von L. C. und Pierre Jeanneret*, précédé de *Fünf Punkte zu einer neuen Architektur, von L. C. und Pierre Jeanneret*, préface du Prof. Dr Hans HILDEBRANDT, Akademischer Verlag, Dr Fr. Wedekind und Co., Stuttgart 1928. — *L'îlot insalubre No 6*, Imprimerie André Tournon & Cie, Paris, mai 1938. — L. C., *Les constructions « Murondins », Entreprise des jeunes, Gestion par les jeunes, Vitalisation des villages, Manuel technique publié sous le patronage du Secrétariat à la Jeunesse*, Etienne Chiron, Paris-Clermont-Ferrand 1942. — Norma EVENSON, *Chandigarh*, University of California Press, Berkeley et Los Angeles 1966. — (Nello Smith Jr, Reylan Tansal, éditeurs), *The development by L. C. of the Design for « L'Eglise de Firminy », a Church in France*, University of North Carolina, Raleigh 1964.

Unités d'habitation

Unité d'Habitation à Marseille, Paris 1947 (L'Homme et l'Architecture, No 11-14, numéro spécial). — L. C., *L'Unité d'Habitation de Marseille*, Souillac-Mulhouse 1950 (Le Point XXXVIII, numéro spécial). — (Frithjof Müller-Rappen, éditeur), *Le Corbusiers Wohneinheit Typ Berlin*, Verlag für Fachliteratur, Berlin-Grunewald 1958. — Paul CHOMBART DE LAUWE et collaborateurs, *Famille et Habitation. I, Sciences humaines et conceptions de l'habitation*, C.N.R.S., Paris 1959 (Travaux du groupe d'ethnologie sociale).

Ronchamp

Les chapelles du Rosaire à Vence, par Henri Matisse, et Notre-Dame-du-Haut à Ronchamp, par Le Corbusier, Les Editions du Cerf, Paris 1955. — Ernesto N. ROGERS, *La chapelle N.D. du Haut à Ronchamp de L. C.*, Domus, Milan 1955-1956. — Anton HENZE, *Ronchamp, L. Cs. erster Kirchenbau*, Paulus Verlag, Recklingshausen 1956. — L. C., *Ronchamp*, Girsberger, Zurich, et Hatje, Stuttgart 1957 (Les Cahiers de la recherche patiente, 2). — Christoph W. DAVID, *Moderne Kirchen: Henri Matisse, Vence; Fernand Léger, Audincourt; ... L. C., Ronchamp*, Die Arche, Zurich 1957. — Karl Anton Prinz ROHAN, *Besuch in Ronchamp*, Glock et Lutz, Nuremberg 1958. — L. C., *Le livre de Ronchamp*, Forces vives, Paris

1961. — Dr Maulini, *Comprendre Ronchamp*, Ronchamp 1964. — L. C., *Textes et dessins pour Ronchamp*, Forces vives, Paris 1965. — Abbé R. Bolle-Reddat, *Wallfahrtskirche U. L. Frau auf der Höhe (N.D. du Haut)*, Ronchamp, Schnell et Steiner, Munich-Zurich 1965. — *Journal de Notre-Dame-du-Haut*, édité par l'Abbé R. Bolle-Reddat, chapelain, F 70, Ronchamp, depuis 1966 (trimestriel).

La Tourette

L. C., *Un couvent dominicain*, Editions du Cerf, Paris 1960 (L'Art Sacré, numéro spécial). — *Le couvent Sainte-Marie-de-La-Tourette, construit par L. C.*, Editions du Cerf, Paris 1960. — Jean Petit, *Un couvent de L. C.*, Forces vives, Paris 1961. — Anton Henze et Bernhard Moosbrugger, *La Tourette, L. Cs. erster Klosterbau*, Keller, Starnberg 1963; éd. française, Office du Livre, Fribourg 1966.

Etudes d'ensemble sur Le Corbusier

François de Pierrefeu, *L. C. et Pierre Jeanneret*, Crès. Paris 1930. — Maximilien Gauthier, *L. C., ou l'architecture au service de l'homme*, Denoël, Paris 1944. — (Giancarlo De Carlo, éditeur), *L. C.*, Rosa & Ballo, Milan 1945. — Bézard, J. Coummelin-Condouin, J. Dayre, Hyacinthe Dubreuil, L. C., Leyritz, Hanning, Aujame, De Looze, *Les Trois Etablissements humains*, Denoël, Paris 1946. — (Stamo Papadaki, éditeur, essais de Joseph Hudnut, Siegfried Giedion, Fernand Léger, José Luis Sert, James Thrall Soby), *L. C., Architect, Painter, Writer*, The Macmillan Company, New York 1948. — Jean Alazard, *L. C.*, Electa, Milan, et Hatier, Paris 1950. — Ir. W. S. van de Erve, *L. C., Idealistisch Architekt*, A. Oosthoeck, Utrecht 1951. — *Architecture du bonheur, L. C.*, textes de L. C. *(L'urbanisme est une clef)*, Gabriel Chereau, Eugène Claudius Petit, R. P. Couturier, Jean Petit, André Wogenscky, Iannis Xenakis, Presses de l'Ile de France, Paris 1955. — P. M. Bardi, *Lectura critica de/A critical review of L. C.*, Museu de Arte, Sao Paulo s.d. (1955). — Anton Henze, *L. C.*, Colloquium Verlag, Berlin-Dahlem 1957. — Henri Perruchot, *L. C.*, Editions Universitaires, Paris 1958. — Françoise Choay, *L. C.*, Braziller, New York 1960. — Jules Alazard et Jean-Pierre Hébert, *De la fenêtre au pan de verre dans l'œuvre de L. C.*, Glaces de Boussois, Paris 1961. — Peter Blake, *L. C.*, Pelican Books, Harmondsworth, Middlesex 1964 (extrait de *The Masterbuilders*, Knopf, New York 1953). — Robert L. Delevoy, *L. C.*, Paris 1963 (Tendances, N° 25, octobre 1963). — Sophie Daria, *L. C., sociologue de l'urbanisme*, Seghers, Paris 1964. — Francesco Tentori, *L. C.*, Compagnia Edizioni Internazionali, Milan 1965. — Saverio Busiri Vici, *Attualità di L. C.*, La Pace, Rome 1966. — Vittorio Franchetti Pardo, *L. C.*, Sadea/

Sansoni, Florence 1966 et Flammarion, Paris 1967. — Jean Petit, *L. C. parle*, Forces vives, Paris 1967. — Jacques Riboud, *Les erreurs de L. C. et leurs conséquences*, Editions Mazarines, Paris 1968 (pamphlet contre la construction contemporaine en général). — Maurice Besset, *L. C.* (en préparation).

Numéros spéciaux de revues :

L'Architecture d'Aujourd'hui, 1934, 1948. — Aujourd'hui, novembre 1965. — Casabella, avril 1963 (N° 274). — Architectural Forum, octobre 1965. — La Torre, Université de Porto Rico, janvier-avril 1966.

Principales expositions rétrospectives
(toutes ont donné lieu à l'édition de catalogues, parfois importants)

1938, Zurich, Kunsthaus. — 1945, Minneapolis, Walker Art Center. — 1953, Paris, Musée national d'Art moderne (œuvre plastique). — 1954, Berne, Kunsthalle. — 1957, Zurich, Kunsthaus (exposition circulaire, dite « des Capitales »). — 1962, Paris, Musée national d'Art moderne. — 1963, Florence, Palais Strozzi. — 1966, Prague, Galerie Vincenc Kramar. — 1966, Bratislava, Galerie nationale slovaque. — 1966, Paris, Musée des Arts décoratifs. — 1966, Exposition itinérante organisée par les étudiants de l'Ecole des Beaux-Arts de Nantes. — 1967, Oslo, Ecole nationale d'Architecture. — 1967, Stockholm. — 1968, Grenoble (exposition audiovisuelle, catalogue-disque).

Ouvrages généraux
(faisant une place importante à l'œuvre de L. C.)

Walter Gropius, *Internationale Architektur*, Munich 1925. — Adolf Behne, *Der moderne Zweckbau*, Munich 1926. — G.A. Platz, *Die Baukunst der neuesten Zeit*, Berlin 1927. — H.R. Hitchcock et Philip Johnson, *International Style : Architecture since 1922*, New York 1932. — Emil Kaufmann, *Von Ledoux bis L. C.*, Vienne 1933. — Marie Dormoy, *L'architecture française*, Paris 1938. — J.M. Richards, *An Introduction to Modern Architecture*, Harmondsworth 1940. — Siegfried Giedion, *Space, Time and Architecture*, Cambridge, Mass. 1941. — Alberto Sartoris, *Introduzione all'architettura moderna*, Milan 1949. — Bruno Zevi, *Storia dell'architettura moderna*, Turin 1950. — Arnold Whittick, *European Architecture in the 20th Century*, Londres 1950-1953. — Gillo Dorfles, *Barocco nell'architettura moderna*, Milan 1951. — Charalambos A. Sfaellos, *Le fonctionnalisme dans l'architecture contemporaine*, Paris 1952. — P. A. Michelis, *L'esthétique de la construction* de béton armé, Athènes s.d. — Siegfried GIEDION, Architektur und Gemeinschaft, Reinbek 1956. — Pierre FRANCASTEL, Art et technique aux XIXᵉ et XXᵉ siècles, Paris 1956. — H.R. HITCHCOCK, Architecture 19th and 20th Centuries, Harmondsworth 1958. — Richard BIEDRZYNSKI, Kirchen unserer Zeit, Munich 1958. — Jürgen JOEDICKE, Geschichte der modernen Architektur, Stuttgart 1958. — Reyner BANHAM, Theory and Design in the First Machine Age, Londres 1960. — Joseph PICHARD, Eglises modernes à travers le monde, Paris 1960. — Leonardo BENEVOLO, Storia dell'architettura moderna, Bari 1960. — G. E. KIDDER SMITH, New Architecture in Europe, New York 1961. — Vincent D. SCULLY Jr, Modern Architecture, New York 1962. — Reyner BANHAM, A Guide to Modern Architecture, Londres 1962. — Peter HAMMOND, Toward a Church Architecture, Londres 1962. — Lewis MUMFORD, The Highway and the City, New York 1963. — G. HATJE,

W. PEHNT (et collab.), Lexikon der modernen Architektur, Munich-Zurich 1963; éd. franç., Paris 1964. — G. E. KIDDER SMITH, New Churches of Europe, New York-Londres 1964. — Françoise CHOAY, L'urbanisme : utopie et réalités, Paris 1965. — Giorgio PICCINATO, L'architettura contemporanea in Francia, Bologne 1965. — Robert L. DELEVOY, Dimensions du XXᵉ siècle, Genève 1965 (éd. française, anglaise et allemande). — John JACOBUS, Die Architektur unserer Zeit. Zwischen Revolution und Tradition, Stuttgart 1966. — Pietro SCURATI MANZONI, Il Razionalismo. L'architettura dall'illuminismo alla reazione neo-espressionista, Milan 1966. — Maurice BESSET, Nouvelle architecture française, Teufen/Ar. 1967. — J. JOEDICKE, J. et Chr. PLATH, Die Weissenhofsiedlung, Stuttgart 1968. — Georges MERCIER, L'architecture religieuse contemporaine en France, Tours 1968. — Amédée OZENFANT, Mémoires, Paris 1968.

INDICATIONS BIBLIOGRAPHIQUES 1969-1985

Œuvre complète

Allen BROOKS (éditeur), Le Corbusier Archive, 32 vol., Garland, New York 1982.

Œuvre plastique

Projets d'architecture de Le Corbusier, Fondation Le Corbusier, Paris 1977. — Le Corbusier : dessins et sculptures, Fondation Le Corbusier, Paris 1984.

Etudes d'ensemble sur Le Corbusier

Serge LEMOINE, Situation de Le Corbusier, Paris (Revue de l'Art, Nᵒ 6, 1969).— Pierre CABANNE, Le purisme ou la recherche de l'absolu, Paris (Jardin des Arts, Nᵒ 193, 1970). — Lucien HERVÉ, Le Corbusier. L'artiste et l'écrivain, Ed. du Griffon, Neuchâtel 1970. — Stanislas VON MOOS, Le Corbusier. L'ar-

chitecte et son mythe, Horizons de France, Paris 1970. — Jean PETIT, Le Corbusier, Rencontre, Lausanne 1970. — Jean PETIT, Le Corbusier lui-même, Rousseau, Genève 1970. — P. OLINGER, Une réalisation de Le Corbusier au pays lorrain, Paris (L'information d'histoire de l'art, Nᵒ 5, 1971). — Willy BOESIGER, Le Corbusier, Verlag für Architektur, Zurich 1972. — Pier Giorgio GEROSA, Urbanisme et mobilité, Birkhäuser, Bâle et Stuttgart, 1978. — Marc Albert EMERY, Faust et Le Corbusier, Neuchâtel (Nouvelle Revue Neuchâteloise 1984).

Principales expositions rétrospectives

1975, Paris, Fondation Le Corbusier. — 1975, Genève, Musée d'Art et d'Histoire. — 1975, La Chaux-de-Fonds, Musée des Beaux-Arts. — 1975, Paris, Musée des Arts décoratifs. — 1979, Paris, Fondation Le Corbusier. — 1983, La Chaux-de-Fonds, Musée d'Histoire.

INDEX DES NOMS CITÉS

TABLE DES ILLUSTRATIONS